Blaul, F

Glaubenstreue oder L … en in der Pfalz

1. Teil

Blaul, Friedrich

Glaubenstreue oder Die Wallonen in der Pfalz

1. Teil

Inktank publishing, 2018

www.inktank-publishing.com

ISBN/EAN: 9783747794968

Glaubenstreue

oder

Die Wallonen in der Pfalz.

Erzählung für die Jugend und das Volk

von

Friedrich Blaul,

Verfasser von »Robert Plank«, »die Rache«, »Aza«, »der Stiefsohn« ec.

Erster Theil.

Speyer.

F. C. Neidhard's Buchhandlung.

1860.

Vorwort.

Der nachfolgenden Erzählung, die Jahre lang fast vergessen in meinem Pulte lag und nun endlich doch in die Welt hinausgehen soll, möchte ich nur eine kurze Bemerkung vorausschicken, obgleich man nicht gewöhnt ist, Vorreden vor dergleichen Schriften zu lesen.

Der Stoff der Erzählung ist nicht allen Einzelheiten, aber doch der Hauptsache nach ein geschichtlicher. Er lag mir besonders nahe, da die Städte Otterberg und Frankenthal, in welchen ich früher als Pfarrer wirkte, den aus den Niederlanden geflüchteten Protestanten ihren Ursprung verdanken. Die wahrhaft heldenmüthige Glaubenstreue, welche jene Niederländer und Wallonen so wie die französischen Hugenotten be-

1*

wiesen, ist etwas so großes und ehrwürdiges, daß sie wohl als Muster für unsere in vieler Beziehung laue Zeit aufgestellt werden darf. Das war zunächst der leitende Gedanke, der mich so zu sagen zur Abfassung dieser Erzählung trieb.

Die schweren religiösen Kämpfe jener Zeit und die großen Verirrungen, welche sowohl die katholische als auch die protestantische Kirche sich zu Schulden kommen ließen, konnten dabei keineswegs übergangen werden. Mancher möchte nun vielleicht glauben, es wäre besser gewesen, diese alten Schäden nicht zu berühren und aufzudecken, ich aber glaube, daß das, was darüber in den Büchern der Weltgeschichte geschrieben steht, uns allen zur Lehre geschrieben, und daß die Hervorhebung solcher Lehre heute nichts weniger als überflüssig sei. Was damals unrechtes geschehen, ist uns als Warnungszeichen aufgestellt. Es soll also durch die Erinnerung daran nicht die alte Erbitterung und Spaltung wieder hervorgerufen oder genährt, sondern vielmehr dem Geschlechte unserer Tage zu Gemüthe geführt werden, wie viel glücklicher, als jene unsre Vorfahren, wir leben oder doch leben könnten.

V

Es thut noth, dem ganzen Volke im weitesten Sinne, und besonders auch der heranwachsenden Jugend, drei große Lehren, welche die Geschichte jener Tage gibt, recht eindringlich vorzuhalten.

Die erste derselben ist die, daß nur der feste, wankellose Glaube an das Evangelium und die begeisterte Liebe zu demselben die Kraft verleiht, auch das schwerste zu tragen und die Welt siegreich zu überwinden.

Die zweite ist die, daß wir in diesem festen Glauben, welcher nichts von religiöser Gleichgiltigkeit weiß, dennoch gegen Andersglaubende die wahre christliche Duldung nicht vergessen und namentlich die unvermeidlichen Kämpfe nur mit den Waffen des Geistes führen sollen.

Zum dritten aber mahnt die Geschichte jener Tage insbesondere die evangelische Kirche zur Einigung und warnt vor neuen Spaltungen, die nur neue unselige Kämpfe veranlassen, ohne das Reich Gottes in und außer uns zu fördern. Sie fordert auf, an der einen Kirche fortzubauen, auf dem ewig dauernden Grunde, der gelegt ist, und außer welchem niemand einen andern legen kann noch soll.

Der Herr gebe, daß die nachfolgende Erzählung auch etwas dazu beitrage, die ernsten Mahnungen und Warnungen der Geschichte den Lesern ans Herz zu legen.

Germersheim, im Februar 1860.

Der Verfasser.

Erstes Kapitel.

Der Rüsttag.

> Gehe aus deinem Vaterlande und von deiner Freundschaft und aus deines Vaters Hause in ein Land, das ich dir zeigen will. 1. Mos. 12, 1.

Das Osterfest des Jahres 1567 war gekommen, aber für die Niederlande nicht als ein fröhliches. Im ganzen Lande herrschte Schrecken und Verwirrung, denn von den protestantischen Städten fiel eben eine nach der andern in die Gewalt der Herzogin Margaretha von Parma, die ihr Bruder, König Philipp II. von Spanien, als Regentin über die Niederlande gesetzt hatte. Tausende von Reformirten, die nicht wieder in den Schooß der römisch-katholischen Kirche zurückkehren wollten, waren schon früher aus dem Lande geflohen, Tausende kehrten eben jetzt um ihres Glaubens willen der lieben Heimath und allem, was ihnen dort theuer war, den Rücken, während andere in Gefangenschaft schmachteten oder unter dem Beile des Henkers verbluteten. Selbst der Prinz von Oranien, bisher der wackerste Beschützer der Protestanten, hatte bereits das Land verlassen, weil er einsah, daß ihre Sache verloren sei. Und doch war in unzähligen Gemüthern die Furcht vor dem, was noch kommen sollte, größer als der Schrecken, den die unheilvolle Gegenwart ihnen einflößte. Es hatte sich ja das Gerücht schon verbreitet, der finster-strenge König habe den eisernen Herzog von Alba auserlehen, um mit einem spanischen Heere nach den Niederlanden zu ziehen und dort der Sache der Reformation mit einem Schlage ein Ende zu machen. Der Ruf, in welchem der Herzog von Alba und die spanischen Soldaten standen, ließ keinen Zweifel über das, was man zu erwarten habe. Die große und reiche Stadt Antwerpen, die sich längst auch für die Reformation erklärt hatte, aber leider lange Zeit der Schauplatz großer und gräulicher Verwirrungen gewesen war, fürchtete jetzt am meisten die schon ziemlich gewisse Ankunft des grausamen Herogs, und obgleich das siegreiche Heer der Statthalterin noch nicht vor den Thoren stand, sondern erst im Anzuge war, obgleich sich Antwerpen wohl am längsten hätte halten können: so wollten sich doch die begütertsten und einflußreichsten Bewohner nicht dem ungewissen Ausgange einer Belagerung aussetzen. Der Rath schickte also Gesandte an die Herzogin von Parma nach Brüssel, um Unterhandlungen mit ihr anzuknüpfen. Die Regentin antwortete, sie könne sich auf nichts einlassen, so lange die Stadt nicht eine Besatzung eingenommen habe.

9

So standen die Dinge, als am frühen Morgen des neunten Aprils der reformirte Prediger Clignet zu Antwerpen mit seiner Familie zur Morgen-Andacht in einem reinlichen aber einfach möblirten Zimmer versammelt war. Aus fünf Personen bestand die kleine Versammlung. Clignet selbst war ein Mann von etwa vierzig Jahren; in seinen Zügen prägte sich ein milder Ernst und zugleich eine eigenthümliche Festigkeit aus. Seine Gattin, eine Frau in den Dreißigen, war von zarter Gestalt, und auf ihrem schönen Angesichte standen die zwei kindlichen Tugenden Sanftmuth und Freundlichkeit geschrieben. Ihr zur Seite standen zwei Kinder, ein hübscher Knabe von etwa neun Jahren und ein bildschönes Mädchen, das kaum ein Jahr jünger sein mochte. Der Knabe war Clignet's Sohn mit Namen Paul; Marie, das Mädchen, war ein angenommenes Kind, eine Waise, deren Mutter weitläufig mit Clignet's Frau verwandt gewesen. Die Hauptperson in der Familie war aber eine alte Matrone, die fünfundsiebenzigjährige Mutter des Predigers. Sie saß in einem gepolsterten Lehnstuhle, hatte die Hände gefaltet, das schöne, ehrwürdige Greisenhaupt vorwärts geneigt und die Augen geschlossen. Denn das Licht ihrer Augen war dem Erlöschen nahe, und die Tageshelle drang nur noch als ein gedämpfter Schimmer hinein. Sie konnte selbst die Glieder der Familie nicht mehr erkennen, und unterschied sie nur an den Stimmen und Tritten oder durch Betasten mit der Hand.

Um die Großmutter Cornelia bewegte sich gleichsam die ganze Umgebung. Man konnte nicht verkennen, daß sie mit einer liebevollen Aufmerksamkeit behandelt wurde, die an Verehrung gränzte. Paul stand an der Armlehne ihres Stuhles, und schmiegte sich freundlich an sie, Marie kniete vor sie hin, legte ein aufgeschlagenes Psalmbuch auf ihre Kniee, und las ihr einen Psalm vor, welchen Alle mit der größten Andacht anhörten. Hierauf faltete Clignet die Hände und begann das Morgengebet, während dessen nur die Großmutter sitzen blieb, weil sie an beiden Beinen fast gelähmt war, und gewöhnlich mit ihrem Rollstuhle von einer Stelle zur andern geschoben wurde. — Clignet betete laut und heute besonders inbrünstig. Es war ein Gebet aus dem Herzen, das auch beinahe wie ein Psalm klang. Das Flehen um Schutz in der gerechten Sache, um Hülfe und Trost in Trübsal und vor allem um Bewahrung des Glaubens trat dabei besonders hervor. Clignet hatte das Amen noch nicht ausgesprochen, als man deutlich lauten Lärm von der Straße heraufschallen hörte. „Was ist das?" fragte Mutter Cornelia, indem sie das Haupt erhob und die glanzlosen Augen öffnete. „Kommen sie wohl schon?"

Ihr Sohn war unterdessen an das Fenster getreten und auch Paul drängte sich neugierig hinzu. „Großmütterchen," rief der Knabe: „ich höre Trompetenschall."

„Der Herr behüte uns in Gnaden!" sagte Clignet

ernst, aber mit einer Stimme, an der man eine tiefe Bewegung merkte. „Die Zeit der Heimsuchung beginnt. Von den Menschen sind wir verlassen, denn der Graf von Mannsfeld zieht mit seinen Schaaren in die verrathene und verkaufte Stadt. Betet zum Herrn, daß er uns nicht auch verlasse.“

„Der Herr wird die Versuchung solch ein Ende gewinnen lassen, daß wir es tragen können. Doch lasset uns wachen und beten!“ So sprach die Großmutter mit einer wunderbaren Ruhe in ihren Zügen. Ihre Schwiegertochter war nicht so ruhig. Stumm, aber mit Thränen in den Augen umarmte sie ihren Gatten. „Elisabeth,“ sagte dieser tröstend: „wir stehen in Gottes Hand, ohne dessen Willen kein Haar von unserm Haupte fällt. Ihm lass' uns vertrauen!“

Unterdessen hatte sich der Lärm auf der Straße vermehrt und der kleine Paul rief: „Da kommen die Reiter! Marie, schau' her!“ Und selbst das schüchterne Mädchen, das angstvoll nach der weinenden Pflegemutter geblickt hatte, eilte an das Fenster. Clignet und seine Frau standen etwas hinter den Kindern zurück, und sahen die längst gefürchtete Besatzung der Stadt vorüberziehen. In völliger Schlachtordnung zogen die Schaaren ein, und es währte geraume Zeit, bis sie vorüber waren. Weinend verließ hierauf die Pfarrerin das Zimmer, um endlich das Frühstück aufzutragen. Marie schmiegte sich wieder an die blinde Großmutter, und Clignet ging in tiefe Gedanken versunken auf und ab, bis die Hausfrau die Morgensuppe brachte. Lange hatte die Familie keine so trübe Morgenstunde zugebracht als heute, aber es sollte noch nicht die trübste Stunde des Tages sein.

Der Pfarrer sagte nach einiger Zeit, er wolle doch ausgehen und einmal sehen und hören, was denn weiter vorgehe. „O bleibe hier, mein Sohn!“ sprach seine alte Mutter: „alles was du erfahren wirst, wird dir noch zu früh zu Ohren kommen.“

„Liebe Mutter,“ versetzte der Geistliche in ehrerbietigem Tone: „ich glaube, wie du; aber doch muß ich gehen, denn der Hirte soll nicht seine Heerde meiden, wenn sie in Angst ist. Auch weißt du ja, daß sie zur Zeit der Anfechtung leicht abfallen.“

„Geh', mein Sohn!“ sagte Cornelia: „und der Herr stärke dich, damit du die andern stärken und aufrichten mögest.“

Clignet ging, nicht ohne seiner Mutter und seinem treuen Weibe die Hand gereicht zu haben. Während seiner Abwesenheit kamen jeden Augenblick Glieder seiner Gemeinde, die nach ihm fragten. Alle wußten nichts gutes zu verkündigen. Sie erzählten, der Graf von Mannsfeld habe den Rath der Stadt versammelt und schreibe demselben so eben auf dem Rathhause Bedingungen vor. Von dem eigentlichen Inhalte der Verhandlung verlautete aber noch nichts. Jetzt kam der Prediger zurück. Er war bleich, und konnte nur mit Mühe seine gewöhnliche Fassung behaupten. „Die Rathssitzung ist noch nicht vorüber," sprach er: „aber man hört schon, daß unser Glaube verkauft wird. Alle Einwohner sollen wieder katholisch werden."

„Während er noch sprach, erschollen einzelne Trompetenstöße. Paul öffnete ein Fenster und Clignet sah durch dasselbe, daß ein Herold auf der Straße gerade vor dem Hause hielt. Mit lauter Stimme verkündigte dieser, daß der Rath mit dem Grafen von Mannsfeld einen Vertrag abgeschlossen habe, in Folge dessen alle reformirten und lutherischen Prediger in und um Antwerpen innerhalb vierundzwanzig Stunden das Land zu räumen hätten.

Elisabeth brach in ein lautes Weinen und Jammern aus, und auch die beiden Kinder fingen an zu weinen, obwohl sie nicht eigentlich verstanden, was der Herold verkündigt hatte. Der Pfarrer stand wie eingewurzelt. „Innerhalb vierundzwanzig Stunden? das ist hart!" sagte er hierauf. „Doch, Herr, dein Wille geschehe an uns!"

„Amen!" sprach die Großmutter feierlich. Sie hatte nämlich die Verkündigung des Heroldes wohl gehört, aber noch kein Wort gesprochen. Jetzt, mitten in dieser Verwirrung und in diesem Jammer richtete sie das Haupt empor, öffnete die Augen, als wenn sie sähe, und sprach mit feierlicher Stimme: „Der Herr der Herrlichkeit sprach zu Abraham: Gehe aus deinem Vaterlande und von deiner Freundschaft und aus deines Vaters Hause in ein Land, das ich dir zeigen will. Und ich will dich zum großen Volk machen, und will dich segnen, und dir einen großen Namen machen, und sollst ein Segen sein. Da zog Abraham aus, wie der Herr ihm gesagt hatte, er ging aus, und wußte nicht wo er hinkäme."

Cornelia sprach nur diese Worte der Schrift und schwieg dann wieder. Auf die Umstehenden aber hatten sie einen wundersamen Eindruck gemacht. Am meisten fühlte sich Clignet selbst dadurch ergriffen und erhoben. Mit Blicken der Ehrfurcht sah er seine alte, blinde Mutter an, faßte seines Weibes Hand, und sagte: „Elisabeth, es sei, wie der Herr durch den Mund unserer Mutter mahnet. Wir werden ziehen, weil er es will. Weine nicht! wenn nur er unsere Wolke und Feuersäule bleibt, so gehen wir sicher auch durch Meer und Wüste. Elisabeth, laß uns nicht kleinmüthig werden. Denke du jetzt sogleich an unsern Auszug, mich ruft die Pflicht zu meiner Gemeinde. Ich will sehen, was sie thun wird. — Mutter," fuhr er zu Cornelia gewendet fort: „wohin aber werden wir uns wenden?"

„Vielleicht ist drüben im deutschen Lande noch eine irdische Ruhe vorhanden dem Volke Gottes," antwortete Cornelia.

„Du hast Recht, liebe Mutter!" sagte Clignet, redete dann noch einmal seinem Weibe muthig, freundlich und trostreich zu, und eilte hinaus. Wohl war ihm auch wehe ums Herz, aber der Glaube ist ja der Sieg, der die Welt mit all ihrer Trübsal überwindet. Was er so oft geprediget hatte, daß wir um Christi und seines Evangeliums willen leiden müssen, das sollte er jetzt selbst erproben. Sollte er da furchtsam zagen und klagen?

Unten im Hofe kam ihm schon eine große Schaar seiner Gemeindeglieder entgegen. Die meisten weinten und klagten laut, alle waren auf's äußerste bestürzt. Hier erfuhr Clignet den ganzen Inhalt des Vertrages, welchen der Rath eingegangen hatte. Der evangelische Gottesdienst sollte ganz aufgehoben, alle evangelischen Prediger verbannt werden. Wer nicht zur römisch-katholischen Kirche zurückkehren wolle, sollte einen Monat Zeit haben, sein Vermögen in Geld zu verwandeln und seine Person in Sicherheit zu bringen. Nur die Prediger mußten binnen vierundzwanzig Stunden außer Landes sein.

Clignet stand noch auf der Treppe, die in den Hof hinabführte. Dort hatte er die ganze schlimme Botschaft vernommen. Aller Augen waren auf den geliebten Seelsorger gerichtet. Mit der wunderbaren Ruhe, die das Wort der Schrift aus dem Munde seiner verehrten Mutter nur noch befestigt hatte, sah der Geistliche über die trostlose Versammlung hin. „Herr Jesu, dir leb' ich; Herr Jesu, dir sterb' ich; dein bin ich todt oder lebendig!" So rief er aus, und fuhr dann fort: „Liebe Freunde! die schwere Heimsuchung kommt vom Herrn. Mich und meine Amtsbrüder trifft sie zunächst. Ich ziehe von dannen, weil es der Herr also will. Mit Trauern und Weinen geh' ich von euch. — — "

Er konnte nicht ausreden. „Wir ziehen mit Euch!" riefen einige Stimmen. „Ja, wir ziehen mit Euch!" scholl es durch die ganze Versammlung. Hierauf ergriff ein alter angesehener Mann der Gemeinde das Wort, und sprach: „Ehrwürdiger Herr, glaubet Ihr von uns, daß wir unsern Glauben verläugnen oder abschwören werden? Ihr habt uns oft genug die Worte des Heilandes vorgehalten: Wer verläßt Häuser, oder Brüder oder Schwestern, oder Vater oder Mutter, oder Weib oder Kinder, oder Aecker um meines Namens willen, der wird es hundertfältig nehmen und das ewige Leben ererben; und wer nicht sein Kreuz auf sich nimmt und folget mir nach, der ist meiner nicht werth. Wir haben das nicht vergessen und wollen es nicht vergessen, ich wenigstens nicht, so wahr mir Gott helfe!"

„Wir auch nicht!" riefen Alle durcheinander. „Wir ziehen mit Euch!"

Clignet war tief ergriffen. Sein Auge leuchtete. Mit einem Blicke des Dankes erhob er es gen Himmel, und ließ es dann wieder auf der Versammlung ruhen, welche sich inzwischen so vermehrt hatte, daß der ganze, geräumige Hof mit Menschen angefüllt war. „Liebe Kinder!" hob er an: „unser Gotteshaus ist uns jetzt verschlossen, bis es etwa dem Herrn gefällt, uns dasselbe wieder zu öffnen, aber das Wort Gottes, das Evangelium, ist uns durch Gottes Gnade noch offen, und soll es mit seiner Hülfe auch bleiben. Hier will ich noch einmal daraus zu euch reden, dann möget ihr gehen und euern Entschluß fassen." Und als stünde er auf seiner lieben Kanzel, so begann nun der Geistliche von der Treppe herab zu seinen Gemeindegliedern zu reden. Er nahm gerade die Worte, welche seine blinde Mutter vorhin aus der Bibel angeführt hatte, gleichsam zu seinem Texte. Er sprach von Abrahams Auszug auf Gottes Befehl und machte die Anwendung davon auf die Gegenwart. Er sprach begeistert und wies darauf hin, daß wohl irgendwo noch eine Ruhe vorhanden sein werde dem Volke Gottes. Die Versammlung weinte, und fühlte sich doch wunderbar gehoben und gestärkt durch die kräftigen Worte ihres theueren Seelsorgers, und der Entschluß, das Vaterland zu verlassen, um nicht den theueren Glauben lassen zu müssen, wurde nur noch mehr befestigt. Nach dieser Rede betete Clignet warm und innig zu Gott, empfahl seine Gemeinde und alle Glaubensbrüder seinem Schutze, ja er betete selbst für die grausamen Feinde: Herr, behalte ihnen diese Sünde nicht! Hierauf segnete er die Versammlung, und nun wurde berathen, wie man den Auszug bewerkstelligen und wohin man sich zunächst wenden wolle. Darüber waren alle sogleich einig, daß man nach Deutschland ziehen müsse, und Frankfurt am Main sollte die Stadt sein, die man aufsuchen wolle.

Denn irgend ein Sammelpunkt mußte bestimmt werden, da ja nicht alle augenblicklich miteinander ziehen konnten. Viele brauchten nämlich gar wohl die Monatsfrist, die ihnen gewährt war, um ihre zeitlichen Angelegenheiten wenigstens einigermaßen zu ordnen. Indeß versprach Clignet, mit seinen Amtsbrüdern noch das Nähere zu verabreden. So schied denn die Versammlung von ihm, zwar mit betrübtem, aber doch mit festem, glaubenstreuem Sinne. Er selbst kehrte in das Haus zurück, um seiner tief bekümmerten Hausfrau in den Anordnungen beizustehen, welche dieser fluchtähnliche Abzug erforderte.

Zweites Kapitel.

Der Auszug.

Laßt uns mit ihm ziehen, daß wir mit ihm sterben. Joh. 11, 16.

Am Morgen des zehnten Aprils war ganz Antwerpen in Bewegung. Es war ja der Tag, an welchem alle protestantischen Prediger die Stadt verlassen mußten. Aber sie sollten nicht allein ziehen. Hunderte, ja Tausende wollten jetzt schon ihr hartes Schicksal theilen. Sie hatten sich so schnell als möglich fertig gemacht, der Stadt den Rücken zu kehren und ein anderes Land aufzusuchen, wo sie Gott in ihrer Weise ruhig und ungestört verehren dürften, wo ihnen der alleinige Quell alles Lichtes und alles Helles, das theuere Evangelium, nicht verschlossen wäre. In allen Straßen drängte sich die Volksmenge. Da sah man nichts als Thränen und Händeringen, da hörte man nichts als Jammern und Wehklagen. Wahrhaft herzzerreißend war es, zu sehen, wie hier Aeltern und Kinder, dort Geschwister und Freunde weinend von einander Abschied nahmen. Um das Liebste, den theueren verfolgten Glauben, zu retten, mußten die heiligsten Bande zerrissen, die glänzendsten Verhältnisse aufgegeben werden. Und bei allem dem durften die Klagen und der Unmuth nicht einmal recht laut werden, weil man die gegründetste Ursache hatte, den Grafen von Mannsfeld mit seinen Soldaten zu fürchten.

Gegen zehn Uhr öffnete sich das Haus, welches der Pfarrer Clignet bisher bewohnt hatte. Vier Männer trugen die Großmutter Cornelia auf ihrem Lehnstuhle heraus. Ihr folgte Elisabeth, die beiden Kinder an der Hand. Zuletzt kam der Geistliche selbst. Die Kinder weinten, aber die Mutter erschien gefaßter als gestern, obwohl sie ihre Thränen auch nicht zurückhalten konnte. Stieg ja selbst dem festen, glaubensvollen und muthigen Vater eine Thräne in das Auge, als er die Schwelle des Hauses verließ. „Der Herr behüte unsern Ausgang und Eingang von nun an bis in Ewigkeit!“ rief er, und die Großmutter sagte ihr lautes „Amen“ dazu, aber ohne

2*

Thräne. Hunderte seiner Gemeindeglieder und Glaubensgenossen standen weinend umher, oder drängten sich zu dem geliebten Manne heran, um ihm die Hand zu reichen. „Wir ziehen mit Euch," sagten die einen, und die andern: „Wir werden Euch nachfolgen." Clignet tröstete und ermuthigte sie mit Worten der Liebe.

Unterdessen hatten die vier Träger die alte Cornelia sammt ihrem Lehnstuhle auf einen Wagen gehoben, auf welchem sich Betten und einiges andere unentbehrliche Hausgeräthe befand. Die übrigen Glieder des Hauses folgten nun dem Wagen und eine große Menschenmenge schloß sich dem Zuge an, der sich langsam nach dem Platze vor dem Rathhause bewegte. Dort war das Volk in Menge versammelt. Die verbannten Geistlichen hatten nämlich verabredet, sich dort zusammen zu finden. Denn obgleich sie nicht alle desselben Weges ziehen wollten, so wollten sie sich doch gemeinschaftlich bei dem Magistrate beurlauben. Clignet begab sich dann mit mehren seiner Amtsbrüder auf das Stadthaus, wo schon andre, namentlich auch die lutherischen Prediger, sich eingefunden hatten. Hier machten nun die so schwer gemißhandelten Geistlichen ihren gepreßten Herzen Luft und hielten dem Magistrate das Unrecht vor, das an ihnen begangen wurde. Sie scheuten sich nicht, dem Rathe zu sagen, daß man sie unchristlicher Weise aufgeopfert, ja daß man die Religion selbst an die Spanier verrathen und verkauft habe. Die bittersten Klagen erhoben die lutherischen Pfarrer. Man hatte sie selbst in das Land gerufen und dazu veranlaßt, gegen die Reformirten zu predigen, und nun wurden sie mit diesen verbannt.

Clignet hatte längere Zeit geschwiegen, endlich nahm er das Wort: „Edle Herren!“ sagte er: „indem ich komme, um mich von euch zu verabschieden, will ich mich nicht in unnützen Klagen ergehen. Unser Urtheil ist gesprochen, und ich unterwerfe mich demselben ruhig, da ich weiß, daß kein Haar von unserm Haupte fällt, ohne den Willen unsers himmlischen Vaters. Auf ihn habe ich mein ganzes Vertrauen gesetzt, und bin darum nicht betrübt oder gar trostlos um meiner selbst oder um der Meinigen willen, aber das Schicksal derer, die mit mir denselben Glauben bekennen, geht mir zu Herzen. Uns habt ihr leicht und schnell aufgegeben, ihr Herren; ich für meinen Theil vergebe euch dies von Herzen, denn das theuerste, was ich besitze, geht mir ja nicht verloren, ich nehme es mit dahin, wohin der Herr mich führen wird. Auch die wahrhaft Treuen in meiner bisherigen Gemeinde ziehen mit mir oder folgen uns nach, und wir werden diese Trübsal, die da zeitlich ist, um unsers Heilandes willen gemeinschaftlich leichter ertragen. Aber um die ist mir bange, welche zurückbleiben. Wird man sie nicht zwingen, ihren Glauben abzuschwören? Wird man die, welche ziehen wollen, frei und ungefährdet ziehen lassen? Ihr schweiget, ihr

Herren! Natürlich, ihr habt ja die Gewalt aus der Hand gegeben, ihr habt nicht gesorgt, daß die Bekenner des lauteren Evangeliums vor Gewaltthat geschützt sind. O thut wenigstens durch Bitten, so viel ihr noch thun könnt. Denn wehe euch! wehe, wenn Seelen durch eure schnelle Nachgiebigkeit ins Verderben kommen. Ihr glaubet euch und das Eure zu retten? — Ich bin kein Prophet, aber das weiß ich, es werden Tage über diese Stadt und über dieses Land kommen, an denen ihr sagen werdet: sie kommen als gerechte Strafe von dem Herrn. Es werden Zeiten kommen, in denen ihr uns, die ihr vertreibet, beneiden werdet, selbst wenn wir nicht hätten, wohin wir unser Haupt legen möchten. Ich wünsche euch solche Noth nicht, das weiß Gott, ich bitte ihn vielmehr, er möge den bitteren Kelch, den wir jetzt an den Mund setzen müssen, an euch, an dieser Stadt, an diesem ganzen Lande vorübergehen lassen. Wir wollen ziehen mit Gott, und er, der Herr, möge die Thränen der Flüchtlinge nicht zählen, um ihre Zahl zu eurer Schuld zu schreiben. Er segne diese Stadt und behüte sie; er lasse sein Angesicht leuchten über ihr und sei ihr gnädig; er hebe sein Angesicht über sie, und gebe ihr Frieden!"

Mit fester Stimme hatte Clignet diese Worte gesprochen. Damit verbeugte er sich, und verließ den Saal. Die übrigen Geistlichen folgten ihm. Unten auf der Treppe des Rathhauses nahmen die Amtsbrüder die verschiedene Straßen zogen, selbst von einander Abschied, und nun theilte sich die auf dem Platze harrende Menge in einzelne Züge. Clignet wandte sich mit den Seinigen nach Osten, und hatte bald das Thor erreicht. War vorher der Jammer schon groß, so erneuerte er sich um so stärker, da nun die einen wieder in die Stadt zurückkehren, die andern aber auf ihrer Pilgerfahrt ins ungewisse weiter ziehen mußten. Die blinde Cornelia, zu der die beiden Kinder auf den Wagen gehoben worden waren, hörte nur die lauten Klagen, die um sie her erschollen. „Kinder!" rief sie laut herab: „weinet nicht, unser Weg geht nur aus der einen Heimath in die andere. Selbst die, welche hier bleiben, müssen bald von einander scheiden. Wohl denen, die sich droben im Vaterlande wiedersehen!"

Die Stimme der Greisin hatte eine eigenthümliche Wirkung hervorgebracht. Clignets ehrwürdige Mutter war in ganz Antwerpen bekannt und die Glieder der Gemeinde, welcher ihr Sohn vorgestanden, hatten eine besondere Ehrfurcht vor ihr. Hatten sie ja doch die blinde und lahme Frau jeden Sonntag in die Kirche tragen sehen, war sie ihnen doch immer wie eine der heiligen Frauen aus der Schrift erschienen. Ihre Worte ermuthigten darum jetzt wieder fast die ganze Schaar. Selbst Clignet fühlte sich durch diese kurze Ansprache seiner lieben Mutter gehoben. Denn außer den Worten der Schrift hatte nichts solche Macht über ihn, als das Wort seiner treuen, glaubensstarken Mutter. Er ging nun umher und brachte Rath und Trost, wo es noth that. Er ordnete den Zug, er redete jedem einzelnen liebreich zu und zeigte eine Stärke, eine Glaubensfreudigkeit, die sich allmälig allen mittheilte.

Eine kurze Strecke vor Antwerpen, bis wohin noch viele Einwohner gefolgt waren, hieß er anhalten, breitete die Hände aus, und sprach den Segen über die Stadt, und betete für sie. Die ganze Versammlung betete mit. Hierauf ordnete er den Zug wieder, trat an die Spitze desselben, und stimmte mit lauter Stimme ein Lied an voll Gottvertrauen, voll Glaubensmuth und voll Ergebung in den Willen des Herrn. Alle, die mit ihm zogen, sangen freudig mit, und so tief betrübt bisher die meisten waren, so getröstet wurden sie jetzt, so freudig in dem Bewußtsein, daß nicht Fleisch und Blut ihre Rathgeber bei dem Auszug gewesen, sondern das Wort des Herrn und die Treue in ihrem evangelischen Glauben. Namentlich erschien Elisabeth, des Pfarrers treue Lebensgefährtin, wie umgewandelt. Ihre Thränen waren getrocknet, sie trat hin zu ihrem Manne, ergriff seine Hand, und sprach: „Clignet, der Herr ist mein Hirt, mir wird nichts mangeln."

„Elisabeth," versetzte Clignet leise: „ich bin der glücklichste Mensch auf Erden, obgleich ein Verbannter. Ich habe ein Weib, das den Herrn lieb hat und ihm vertraut; ich habe eine Mutter, deren Glaube die Welt überwindet; ich habe Kinder, zwei Kinder, die heranwachsen in der Zucht und Vermahnung zum Herrn; ich habe eine Gemeinde, die alles verläßt und ihr Kreuz auf sich nimmt um des Herrn und seines theueren Evangeliums willen. Elisabeth, der Herr verläßt die Seinen nicht."

Damit drückte er seinem treuen Weibe die Hand und ging nun wieder seinem seelsorgerlichen Geschäfte nach. — Bald verschwanden die Mauern und Häuser der Stadt, bald auch die Thürme, zuletzt verschwand der hohe Thurm der prächtigen Kathedrale von Antwerpen den Blicken der Verbannten. Ach! wie traurig war der Abend, wie traurig die Nacht, welche die Verbannten in einem Dorfe zubrachten. Dazu kam, daß die Bewohner des platten Landes, trotz alles Mitleides, trotz des gleichen Glaubens mit den Verbannten, doch zu sehr geängstiget waren durch den Einzug der spanischen Truppen in Antwerpen. Sie wollten so gern den Flüchtlingen jegliche Handreichung thun, um ihnen ihr hartes Schicksal möglichst zu erleichtern, und doch mußten sie fürchten, daß man sie von Seiten der Spanier diese Mildherzigkeit bald entgelten lassen werde. Denn die Katholischen, in deren Augen die Reformirten ein Gräuel waren, gaben auf alles Acht, was da geschah. Es war deßhalb natürlich, daß sich die unglücklichen Auswanderer lebhaft sehnten, Deutschland zu erreichen. Clignet schlug mit ihnen den Weg nach Mastricht und Aachen ein. Indeß ging der

Zug nicht sehr rasch voran, da nur wenige Wagen vorhanden waren und die Frauen und Kinder keine große Tagreisen machen konnten. Doch begegneten der flüchtigen Schaar auch keine weiteren Unfälle. Allenthalben fanden sich Menschen, die herzliches Mitleid mit den Vertriebenen hatten, und da diese ohnehin alle Lebensbedürfnisse bezahlten, so zogen sie einige Tage unangefochten weiter. Auch hatten sie einige Männer vorangeschickt, welche auskundschaften sollten, ob die Straße sicher sei und ob man etwa durch die Stadt Mastricht ziehen könne, ohne von feindlichen Truppen geängstet und mißhandelt zu werden.

So war der Abend des vierten Tages herangekommen. Die verbannte Schaar war der Stadt Mastricht bis auf eine Stunde etwa nahe. Clignet hatte sie so eben zum Abendgebete versammelt, als die ausgesendeten Kundschafter eilend und mit ängstlichen Mienen zurückkamen. Sie brachten die schlimme Botschaft, daß einzelne Truppen-Abtheilungen in der Umgebung der Stadt umherschwärmten, daß man in keinem Dorfe vor ihnen sicher sei, und von einem Zuge durch die Stadt gar nicht die Rede sein könne. Diese Nachricht brachte Angst und Verwirrung unter die Flüchtlinge. Die Nacht war vor der Thüre, die gefürchteten Soldaten in der Nähe — was sollte man beginnen? Der Geistliche hatte Mühe, die zagenden zu beruhigen, und erst dann gelang es, als die blinde Cornelia laut von ihrem Sitze herabrief: „Wo bleibt euer Glaube an den Hüter Israels, der nicht schläft noch schlummert? wo euer Vertrauen auf ihn, der euch ausziehen hieß? Wollt ihr etwa jetzt schon wieder umkehren zu den Fleischtöpfen Aegyptens?"

Alles schwieg. Die eben noch laut geklagt hatten, schämten sich ihres Kleinglaubens, und als der Prediger nun ausrief: „Und wenn auch nur der Himmel unser Dach ist, so wohnen wir doch sicher!" da gaben sich alle zufrieden. Indeß trat ein Mann herzu, und sagte: „Ehrwürdiger Herr, wir können nicht weit von der weltbekannten Petershöhle sein. Sollten wir nicht in ihr unser Nachtlager suchen und Schutz gegen einen plötzlichen Ueberfall der Feinde?"

Clignet hatte die Steinbrüche im Petersberge bei Mastricht noch nicht gesehen, aber schon von den unterirdischen Gängen derselben gehört. So auch viele seiner Begleiter. Einer und der andere war auf seiner Wanderschaft auch schon an oder sogar in der Petershöhle gewesen. Der Vorschlag fand deßhalb Beifall und man machte sich nun auf nach dem nahen Hügel, um den Eingang in den unterirdischen Steinbruch zu suchen. Die waldige Umgebung des Petersberges hatte bald die Verbannten aufgenommen, und obgleich es schon tief zu dämmern anfing fühlte sich doch jedermann weit sicherer und ruhiger, als auf der offenen Landstraße. Während nun einige für Holz, besonders für Kienfackeln sorgten, suchten andere einen Eingang in die Höhle. Nach einiger Zeit war dieser gefunden, und zwar ein so hoher gewölbter Gang, daß man die Pferde und Wagen recht wohl hineinführen konnte. Eine hinreichende Zahl von Kienfackeln wurde nun angezündet, und die ganze Schaar zog in das unterirdische Nachtlager ein.

Drittes Kapitel.

Die Petershöhle.

So ich im Finstern sitze, so ist der Herr mein Licht. Micha 7, 8.

Schon seit Jahrhunderten gehört die Petershöhle bei Mastricht zu den Merkwürdigkeiten der Erde. Sie ist eines von den Wundern der Unterwelt, aber nicht eines, das die Natur so hervorgebracht, sondern das die arbeitende Menschenhand nach und nach gebildet hat. Schon die Römer, von deren Bauwerken noch Ueberreste in Mastricht und der Umgegend vorhanden sind, benutzten die Steinbrüche im Petersberge. Die Felsenmasse besteht aus Kreidetuff, zerreiblichem Kalkstein und Feuerstein. Sie ist in der Höhle sehr weich und darum ganz leicht zu bearbeiten, verhärtet aber mehr und mehr an der Luft. Darum hatte es wenig Schwierigkeiten, den Berg im Laufe der Jahrhunderte mit solchen Gängen und Hallen zu unterhöhlen, die nicht selten so schön sind, als wären ihre Wände und Wölbungen mit großer Sorgfalt aufgemauert. Diese Gänge kreuzen und verzweigen sich so zu sagen ins unendliche, und es sind derselben wahrhaft unzählig viele. Man nimmt an, daß sich in diesem unterirdischen Labyrinth, welches vier Stunden lang und zwei Stunden breit ist, gegen zwanzigtausend Wege kreuzen. Wehe dem, der dieses unermeßliche Netz von Gängen und Höhlen ohne kundigen Führer betritt! wehe dem, der sich in demselben verirret! es wäre fast ein Wunder, wenn er das Tageslicht wieder erblickte.

Wenn nun auch vor beinahe dreihundert Jahren die Zahl der unterirdischen Gänge noch nicht so groß war, wie heutiges Tages, so war sie doch mehr als groß genug, um jeden, der die Höhle betreten wollte, mit einem schauerlichen Grauen zu erfüllen. Auch unsere Verbannten konnten sich des Grauens nicht erwehren, als sie diese unterirdische Welt betraten. Wo jedoch viele beisammen sind, da schwindet bald die Furcht. Auch hatte ja Cligenet allen aufs strengste eingeschärft, daß niemand sich in einen Seitengang wagen, niemand sich von der Versammlung entfernen dürfe.

So schritten sie denn in dem hohen gewölbartigen Hauptgange, den sie betraten, gerade voran. Die wenigen Pferde und Wagen folgten ihnen. Der Boden war eben und trocken, nirgend stießen sie auf eine schwierige oder gefährliche Stelle. Aber das Licht der Kienfackeln scheuchte die Bewohner der dunkeln Höhlen auf. Fledermäuse schwirrten in großer Zahl umher und verbrannten nicht selten ihre Flügel an dem Lichte, auf welches sie zuflogen.

Als man nun weit genug vorgedrungen zu sein glaubte, wurden zwei Männer an den Eingang der Höhle zurück geschickt, welche genau angeben sollten, ob man von außen weder den Schein der Fackeln sehen, noch den Schall der Stimmen oder das Stampfen der Pferde hören könne. Diese kamen zurück und erklärten, man könne vor dem Eingange nicht bemerken, daß jemand in der Höhle sei. Nun fühlten sich die Flüchtlinge beruhigt, und es war ihnen sogar ordentlich behaglich, da in diesen Gängen fortwährend eine recht angenehme Wärme herrscht. Es wurden nun einzelne Feuer angezündet und von den mitgenommenen oder unterwegs eingekauften Vorräthen ein gemeinschaftliches Nachtessen bereitet. Freilich mußte man dabei möglichst sparsam sein, da ja niemand wissen konnte, wie lange der Aufenthalt in diesen unterirdischen Räumen dauern müsse. Nach dem Essen sprach der Geistliche das Dankgebet und empfahl seine kleine Heerde dem Schutze des allmächtigen Gottes. Hierauf wurde für die Nachtruhe gesorgt. Die älteren Frauen und die Kinder bettete man so gut als möglich auf die Wagen, die übrigen suchten sich ein nothdürftiges Lager auf dem Boden zu bereiten, oder schliefen auf der bloßen Erde. Vier Männer hielten abwechselnd Wache und unterhielten das Feuer. Selbst Clignet ließ sich nicht abhalten, einige Stunden für seine Gemeinde zu wachen. Auch war er zuerst munter, als er glaubte, der Tag sei nahe. Denn ob es Tag oder Nacht sei, konnte man in dieser Höhle nicht wissen. In Begleitung eines Mannes begab er sich selbst an den Eingang und sah dort, daß so eben der Morgen zu grauen anfing. Ringsumher war alles still und der Geistliche spähte nun umher, ob nicht in der Nähe eine Quelle zu entdecken sei. Der Mangel des Wassers war nämlich schon am Abende ziemlich fühlbar geworden. Es gelang ihm auch wirklich, Wasser zu entdecken, und nun kehrte er mit dieser erfreulichen Botschaft in die Höhle zurück und sorgte, daß die Erwachenden dieses nothwendigste aller Lebensbedürfnisse bereits in hinreichendem Maaße vorräthig fanden.

Nachdem hierauf die Morgen-Andacht abgehalten war, wurden einige Kundschafter ausgeschickt, um die Gegend zu durchspähen und wo möglich für ferneren Vorrath an Lebensmitteln zu sorgen. Gegen Mittag kehrten diese auf verschiedenen Wegen zurück, und brachten alle die niederschlagende Botschaft, daß das Land umher noch immer sehr unsicher sei. Sie hatten in einem Dorfe besonders viel von der wilden Rohheit der umherstreifenden Soldaten gehört. Die Landleute wurden von denselben auf jegliche Weise gedrückt, mißhandelt und beraubt; friedliche Reisende, besonders protestantische Auswanderer, waren von ihnen geplündert, einige sogar getödtet worden. Daß es unter solchen Umständen nicht rathsam sei, weiter zu ziehen, darüber waren alle sogleich einig. Der einzige

Trost, den die Kundschafter zurückgebracht, war der, daß sie Brod und einige andere Lebensmittel gekauft hatten. Auch hatten sie einen einsam wohnenden Mann gefunden, einen Steinhauer, der die unterirdischen Gänge des Petersberges sehr genau kannte. Ihm hatten sie sich anvertraut, weil sie ihn für eine redliche Seele hielten und er ihnen erklärt hatte, daß er denselben Glauben habe, wie sie. Der Steinhauer hatte versprochen, nicht nur Lebensmittel in die Petershöhle zu schaffen, sondern auch öfters Nachricht zu bringen, wie es in Beziehung auf die Sicherheit oder Unsicherheit der Wege und Straßen stehe.

Wohl war es bedenklich, sich einem völlig unbekannten Menschen anzuvertrauen, und nicht ohne Unruhe brachten die Verbannten den Tag in dem unterirdischen Raume zu, während nur einzelne derselben sich hinaus wagten, um das nöthige Futter für die Pferde und das Holz zur Unterhaltung der Feuer herbeizuschaffen. Als aber gegen Abend der Steinhauer wirklich mit einem wohl gefüllten Sacke in die Höhle trat und Clignet nach einem kurzen Gespräche mit demselben seiner Gemeinde erklärte, der Mann sei ein redlicher Glaubensbruder, dem man wohl vertrauen möge: da war den armen Flüchtlingen so leicht um das Herz, als wenn sie schon aller Gefahr entronnen wären. Der Steinhauer blieb bei ihnen bis nach dem Abendsegen, und ging noch mit dem Prediger und einigen andern Männern tiefer in die Höhle hinein. Der kleine Paul bat seinen Vater, mitgehen zu dürfen, denn die Geheimnisse dieser unterirdischen Welt schienen seine ganze Neugier rege gemacht zu haben. Als ihm der Steinhauer gar einige versteinerte Thiere zeigte, die in dem Feuersteine häufig vorkommen, als er einzelne Tropfstein-Gebilde sah, die wie Eiszapfen von dem Gewölbe niederhingen und beim Fackellichte wie durchsichtig erschienen, da war die Freude des Knaben überaus groß. Er jubelte laut beim Anblicke dieser nie gesehenen Dinge. Auch für Clignet war die Wanderung sehr interessant und belehrend, doch fürchtete er, die Seinigen möchten sich ängstigen, und bat nun den Führer wieder umzukehren.

„Folget mir nur noch eine kurze Strecke, ehrwürdiger Herr!" versetzte der Steinhauer. „Ich möcht' Euch gern den Brunnen, den schönsten und merkwürdigsten Punkt der ganzen Höhle, zeigen." Damit führte er sie noch eine kleine Weile fort, und sagte dann: „Wir sind am Ziele!" Er hieß nun die Fackelträger etwas auseinandertreten, und alle waren überrascht, als sie sich in einer weiten, hochgewölbten Halle sahen. Einen so großen Raum hatten sie in diesen Gängen nicht vermuthet. Dem Geistlichen kam es vor, als sei er in eine unterirdische Kapelle eingetreten. Nun zeigte ihnen der Führer den eigentlichen Brunnen. Es ist eine Stelle, und zwar die einzige Stelle in dem ganzen Labyrinthe, an welcher Wasser von der Decke herabtropft. Und diese Wassertropfen fallen gerade auf den Stumpf eines versteinerten Baumes, der

3

mehre Fuß über den Boden emporragt, während der obere Theil abgebrochen ist. Die fallenden Tropfen haben eine Vertiefung in den Stamm gehöhlt, so daß das Wasser daraus geschöpft werden kann. Clignet und seine Begleiter tranken von diesem Wasser, und fanden es rein, wohlschmeckend und kalt. Hier wäre der rechte Raum zum Aufenthalte für die verbannte Gemeinde gewesen, aber leider lag die Stelle zu weit von dem Eingange entfernt. Indeß betrachtete der Geistliche nochmals die weite Halle mit ernstem Nachdenken. „Lieber Freund," sprach er hierauf zu dem Steinhauer: „es ist morgen Sonntag, und ich möchte einen feierlichen Gottesdienst halten mit meiner Gemeinde. Hier wäre die Kirche dazu. Möchtet ihr nicht morgen in der Frühe wiederkommen und uns hierherführen, weil wir ohne kundigen Führer den Weg nicht wohl finden würden?"

„O recht gern," erwiderte der Steinhauer: „ich selbst würde mich freuen, euerm Gottesdienste hier beizuwohnen. Und höret nur, wie hier die Töne klingen, die draußen kein menschliches Ohr vernehmen kann." Er rief nun laut, und nach einer Weile klang sein Ruf weit aus den fernen Gängen zurück. Er schlug an die harten Tropfsteinzacken, und es klang durch die nächtliche Halle wie Orgeltöne. Wenn aber alle schwiegen, da hörte man nur das eintönige Fallen der Wassertropfen auf den versteinerten Baumstrunk, was in der tiefen Grabesstille wahrhaft schaurig klang. Paul, der lebhafte

Knabe, war ganz entzückt von dem allem, und sein Vater mußte ihn wiederholt daran mahnen, daß sie jetzt wieder zurückkehren müßten.

Den harrenden Freunden fiel es ordentlich wie eine Last vom Herzen, als sie den fernen Schimmer der Lichter wieder sahen, denn unwillkürlich war in jeder Seele der Gedanke aufgestiegen: Ach! wenn sie verirret wären und nicht mehr kämen! Die kleine Marie hatte sich besonders geängstigt, und hängte sich nun voll Freude an den lieben Pflegevater und an Paul, der nicht genug von den Herrlichkeiten erzählen konnte, die er gesehen.

Inzwischen hatte sich aber in der zurückgebliebenen Versammlung eine Neuigkeit ergeben, die für alle von größerer Wichtigkeit war, als der Bericht von der unterirdischen Wanderung. Ein Kind war ganz unerwartet in diesem dunkeln Zufluchtsorte der bedrängten Gemeinde geboren worden. Ach! es war für den Vater und die Mutter, so wie für alle Glieder der Versammlung eine freudige, aber auch eine tief schmerzliche Stunde. Da empfanden sie so recht schwer, daß sie keine Heimath mehr hatten. Aber der Glaube und die brüderliche Liebe waren auch hier wieder die Quellen des Trostes und wahrer Freude.

Der Sonntagsmorgen kam. Früh fand sich der ehrliche Steinhauer ein, und die kleine Gemeinde, ihren Geistlichen an der Spitze, folgte ihm nach der Halle des Brunnens. Einige Frauen nur mußten bei der Wöchnerin

3*

zurückbleiben, und ein Mann hielt sich als Wächter nahe bei dem Eingange der Höhle auf.

Um die dunkle Halle des Brunnens, welche heute die Kirche abgeben sollte, möglichst zu erleuchten, hatte man in der Mitte ein helles Feuer angezündet. Ueberdies trugen viele Männer Kienfackeln, einzelne Frauen Oellampen in der Hand. Großmutter Cornelia war von vier Männern auf ihrem Rollstuhle getragen worden, und saß fast in der Mitte des Raumes, während sich die Männer auf der einen, die Frauen auf der andern Seite im Halbkreise aufgestellt hatten. Der Geistliche hatte seinen Platz unmittelbar hinter dem versteinerten Baumstrunk genommen. Da der Cantor der Gemeinde auf Clignets Veranlassung in Antwerpen zurückgeblieben war, um noch manche Angelegenheiten zu ordnen und den Verbannten während der gestatteten Monatsfrist Nachricht zu geben, so stimmte Clignet selbst den siebenundzwanzigsten Psalm an. In gedämpften Tönen sang die Versammlung dieses Trostlied: „Der Herr ist mein Licht und mein Heil, vor wem sollte ich mich fürchten? Der Herr ist meines Lebens Kraft, vor wem sollte mir grauen?" Feierlich, wahrhaft ergreifend scholl der Gesang durch die hohe Halle, und schien sich in dem weiten Labyrinthe der zahllosen Gänge zu verlieren. Wenn aber eine Pause eintrat, da mußte jedes Ohr unwillkürlich lauschen, denn es war, als ob weit in der Ferne ein anderer Chor dasselbe Lied in noch tieferen, feierlicheren Tönen wiederholte.

Nach Beendigung des Gesanges begann Clignet seine Predigt. Er hatte den sehr passenden Text Micha 7 Vers 8 und 9 gewählt: „Freue dich nicht, meine Feindin, daß ich darniederliege; ich werde wieder aufkommen. Und so ich im Finstern sitze, so ist doch der Herr mein Licht. Ich will des Herrn Zorn tragen, denn ich habe wider ihn gesündiget, bis er meine Sache ausführe und mir Recht schaffe. Er wird mich an das Licht bringen, daß ich meine Lust an seiner Gnade sehe.“ — In begeisterter Rede zeigte er seinen Zuhörern, daß sie ein ähnliches Schicksal hätten, wie die ersten Christen, die auch nicht selten in unterirdischen Höhlen und Gewölben ihren Gottesdienst feiern mußten. Sein Text gab ihm Gelegenheit genug, die Zuhörer zu ermuntern, daß sie diese Heimsuchung als Prüfung, ja selbst als Strafe von dem Herrn hinnehmen, aber in rechter Glaubenstreue auch nicht an seiner gnädigen Aushülfe zweifeln sollten. Er verhieß ihnen so bestimmt den Sieg ihrer guten Sache, wenn sie nur treu wären, daß sich alle Seelen wunderbar getröstet und gehoben fühlten. Vielleicht hatte er noch nie eine solch innige zu den Herzen sprechende Predigt gehalten, und niemals war wohl die Erbauung seiner Gemeinde größer gewesen, als hier unten im Bauch der Erde, in dieser dunkeln, schauerlichen Felsenhöhle. Hier vereinigte sich aber auch alles, um der Rede des Geistlichen einen tiefen Eindruck zu sichern. Die Stimmung der Gemeinde war ernst und feierlich, die Grabesstille des Ortes wirkte mit auf die Gemüther, und wenn Clignet mit erhobener Stimme eine lichtere Zukunft verhieß, da klangen seine Worte aus der Tiefe der gewundenen Gänge wieder, als wenn ferne Geisterstimmen das Ja und Amen dazu sprächen.

Nach einem ebenso ergreifenden Gebete des Geistlichen folgte eine Handlung, welche die ganze Versammlung fast noch tiefer ergriff. Das gestern in der unterirdischen Höhle zur Welt gekommene Kind sollte auch hier in der Tiefe der Erde die Weihe der heiligen Taufe empfangen. Die ganze Gemeinde wollte Pathenstelle bei dem Kinde vertreten, und die verehrteste Person in derselben, die alte Mutter Cornelia, sollte die ganze Gemeinde vertreten und das Kind aus der Taufe heben. Ihr wurde der Säugling in die Arme gelegt, und sie ward mit ihm vor den versteinerten Stamm getragen, der hier als Taufstein galt. Ihr zur Seite stand der Vater des Kindes. Clignet hielt noch eine kurze Anrede über diesen eigenthümlichen Fall, und hob darin hervor, daß der Knabe Peter heißen solle zum Andenken an die Petershöhle, in der er geboren sei. Sodann taufte er das Kind mit dem Wasser, das sich in der Aushöhlung des Baumstammes, wie in einem Gefäße, gesammelt hatte. Cornelia wurde hierauf wieder an ihren vorigen Platz zurückgetragen, und sie, die älteste der Versammlung, stimmte mit einemmal den dreiundzwanzigsten Psalm an. Ihr Sohn und mit ihm die ganze Versammlung war überrascht, aber alsbald stimmten sie alle mit ein, denn kein anderes Lied hätte passender diesen Gottedienst beschließen können. Wie wundersam tröstend klangen in dieser unterirdischen Nacht die vom Echo spät und leise wiederholten Worte: „Der Herr ist mein Hirt, mir wird nichts mangeln. Und ob ich schon wanderte im finstern Thal, so fürchte ich kein Unglück, denn Du bist bei mir, Dein Stecken und Stab trösten mich.“

Viertes Kapitel.

Das verlorene Kind.

Ich will ihnen ein Trauern schaffen, wie man über einen einigen Sohn hat. Amos 8, 10.

Fünf Tage hatten die Verbannten unter Furcht und Hoffnung in ihrem unterirdischen Verstecke zugebracht, als spät Abends der brave Steinhauer erschien und erklärte, die wilden Soldaten-Horden seien abgezogen und er glaube, daß man ohne große Gefahr weiterziehen könne. Zu größerer Sicherheit versprach er, die Auswanderer auf einem einsameren Seitenwege einige Stunden weit zu führen.

Die Nachricht erfüllte aller Herzen mit großer Freude. Denn der traurige Aufenthalt in der dunkeln Felsenhöhle war ihnen nach und nach außerordentlich drückend geworden. Sie sehnten sich unaussprechlich nach dem hellen Tageslichte und nach der frischen, freien Frühlingsluft die draußen wehte. Es wurde also beschlossen, mit dem frühesten Morgen aufzubrechen. Ja man wollte noch den Mondschein zur Reise benützen und darum schon einige Stunden nach Mitternacht die Höhle verlassen. Nun entstand eine große Bewegung in der geflüchteten Schaar. Von Schlaf wollten die meisten nichts mehr wissen. Sie hatten freilich während der fünf Tage, oder vielmehr während der fünftägigen Nacht, mehr als hinreichend geschlafen und geruht. Alle Anstalten zum Abzuge wurden getroffen, so daß man sich mit dem frühesten aufmachen konnte.

Es war noch Nacht, aber der abnehmende Mond stand hoch am Himmel, als man die Wagen und Pferde aus der Petershöhle zog und dann möglichst still, aber doch in gedrängtem Schwarme aus der beengenden Höhle unter die Bäume des Waldes herauseilte. Die freie Luft that den Flüchtlingen an Leib und Seele wohl. Doch war sie kühl, und die Wöchnerin mit dem Säugling mußte gehörig gegen den schädlichen Einfluß derselben geschützt werden. Elisabeth, Clignets Gattin, war sehr sorgsam damit beschäftigt, der armen Frau jede unter solchen Umständen mögliche Bequemlichkeit zu bereiten und ihr auf einem Wagen recht weich und warm zu betten. Der Pfarrer selbst ordnete mittlerweile den

Zug, damit namentlich in der Nacht und Dämmerung weder Unordnung noch Gefahr entstehen könne. Als die Glieder der einzelnen Familien beisammen waren, suchte der Geistliche auch die Seinigen auf. Die Großmutter saß bereits auf dem Wagen, die kleine Marie bei ihr. Elisabeth kam so eben von ihrem Geschäfte zurück, und fragte: „Wo ist denn Paul?“ Weder der Vater noch Marie wußten es. Das Mädchen behauptete, sie habe ihn noch nicht gesehen, seit sie aus der Höhle seien. Die ängstliche Mutter lief umher und fragte allenthalben, ob der Knabe nicht da sei, ob ihn niemand gesehen habe. Weder sie noch der suchende Vater konnte ihn finden oder eine genügende Antwort erhalten. Elisabeths Angst wuchs von Augenblick zu Augenblick. Obgleich man in möglichster Stille aufbrechen wollte, so konnte sie nicht umhin, laut seinen Namen zu rufen. Keine Antwort erfolgte. Auch den Vater ergriff nun die Angst immer mehr, und in die ganze Schaar kam Verwirrung. Clignet eilte an den Eingang der Höhle, und seine Frau folgte ihm. „Paul!“ rief er laut in die Höhle hinein, aber das lauschende Ohr hörte nur einen dumpfen Widerhall des ausgerufenen Namens. „Paul!“ schrie auch die Mutter in der höchsten Angst. Sie erhielt eben so wenig eine Antwort. Da faßte sie namenlose Verzweiflung. Mit einem lauten Jammerschrei und dem Ausrufe: „Mein Kind! mein Kind!“ stürzte sie in die Höhle. Der Vater, dem kaum weniger ängstlich zu Muthe war, wollte sie zurückhalten, aber sie riß sich los, und eilte hinein in das tiefe, nächtliche Dunkel. Clignet rief nach Licht, folgte aber seinem Weibe ohne Verzug. Der nächste hinter ihm war der Steinhauer. „Haltet ein!“ rief dieser: „es gibt ein Unglück, wenn ihr den Weg verfehlet.“ Aber Elisabeth hörte nicht auf ihn. Trotz der undurchdringlichen Finsterniß flog sie ordentlich mit vorgehaltenen Händen dahin und rief unaufhörlich den Namen ihres Kindes in herzzerreißenden Tönen. Erst an der Lagerstelle, wo noch das Feuer brannte, holten Clignet und der Steinhauer sie ein. Da stand sie und starrte umher, aber kein Paul war zu entdecken. „Clignet! Clignet!“ rief sie: „wo ist unser Kind?“

„Elisabeth,“ sagte der Pfarrer: „es ist in Gottes Hand. Beruhige dich, Paul wird ja wohl nicht verloren sein.“ Er sprach dies so ruhig als möglich, und doch war sein eigenes Herz voll unaussprechlicher Angst, die er vergebens niederzukämpfen suchte.

„Gott! mein Gott!“ rief die verzweifelnde Mutter: „wo mag er sein? Denke dir den armen Knaben in diesen dunkeln, schauerlichen Gängen verirret; denke dir seine Angst in diesem unermeßlichen Grabe.“

„Dieser Mann hier,“ versetzte Clignet auf den Steinhauer deutend: „wird uns behilflich sein, ihn zu suchen. Kehre du zurück, liebe Elisabeth, zu Marien und der Großmutter, wir wollen die Gänge durchsuchen.“

„Nein, nein!“ erwiederte sie rasch und bestimmt: „ich muß ihn finden.“

„Sollte der Knabe nicht etwa nach der Halle des Brunnens gegangen sein, wo es ihm so wohl gefiel?“ bemerkte einer der nachgefolgten Männer.

„Ja, fort, fort nach dem Brunnen!“ rief die Pfarrerin. Sie wollte forteilen, aber ihr Mann hielt sie zurück, bis die Männer sich mit brennenden Kienfackeln und Lichtern versehen hatten. Unterdessen rief er nach allen Seiten hin den Namen des Knaben, jedoch vergebens. Hierauf eilten die Suchenden nach der Halle des Brunnens, denn daß sie in die verschiedenen Seitengänge sich vertheilten, ging nicht an. Der Steinhauer warnte ernstlich davor, weil die Gefahr des Verirrens zu groß wäre. Unter fortgesetztem Rufen und Lauschen gelangte man in den jüngst zur Kirche geweihten Raum. Auch hier war keine Spur von dem Knaben. Nur das ferne Echo gab den Namen Paul zurück. Da schwand die letzte Kraft der aufs äußerste geängsteten Mutter. Ihre Sinne fingen an sich zu verwirren, und mit dem Jammerruf: „Gott, mein Gott! gib mir mein Kind wieder!“ brach sie bewußtlos zusammen. Sie mußte aus der Höhle getragen werden.

Wehklagend empfingen sie die draußen ängstlich Harrenden. Die Nachricht, daß Paul immer noch nicht aufgefunden sei, vergrößerte die Bestürzung und den Jammer der Verbannten. Nur Mutter Cornelia mit ihrem starken Geiste sprach noch Worte der Beruhigung, obgleich auch ihr Herz unaussprechlich betrübt war. Die kleine Marie dagegen war ganz aufgelöst in Thränen, und warf sich jammernd neben der bleichen, ohnmächtigen Pflegemutter nieder, mit deren Wiederbelebung sich die Frauen ämsig beschäftigten.

Clignet war in der Petershöhle zurückgeblieben, um seine Nachforschungen fortzusetzen. Am Brunnen warf er sich auf die Kniee nieder, und rief laut: „Herr! suche uns nicht zu schwer heim! prüfe uns nicht zu hart! sondern laß die Versuchung so ein Ende gewinnen, daß wir's tragen können.“

Mittlerweile hatte sich der Steinhauer besonnen, welchen Weg er nun einschlagen solle. Bei der großen Zahl von Haupt- und Seitengängen war es nicht leicht, einen Entschluß zu fassen. Und doch drängte die Zeit, und auch der hart geängstigte Vater mahnte zur möglichsten Eile. Er dachte sich ja lebhaft die Angst, die Verzweiflung, die sich des armen Knaben in diesem finstern Labyrinthe bemächtigen müsse.

Die Suchenden setzten nun in möglichster Eile, aber doch mit der nöthigen Vorsicht, ihre Nachforschung fort. Sie durchwanderten eine Unzahl größerer und kleinerer Gänge, die sich in viel hundert Verzweigungen und Windungen unter der Erde hinziehen. Sie riefen, sie lauschten, aber immer vergeblich. Ihre Fackeln brannten allmälig herab, die Flämmchen der Oellampen wurden schwächer. Der Steinhauer mahnte zur Eile, denn wenn die Leuchten erlöschen würden, sei er selbst nicht mehr im Stande, in der undurchdringlichen Finsterniß einen Ausgang zu finden. Indeß erreichten sie endlich glücklich einen solchen, aber sie sahen ihn nicht eher, als bis sie ganz nahe davor standen, denn die Krümmungen der Gänge erlaubten keinen Blick in weitere Ferne.

In einer ganz anderen Gegend waren sie aus dieser Unterwelt herausgetreten, aber von Paul war auch da nichts zu sehen, und kein Rufen nützte etwas. War es ein Wunder, wenn Clignets sonst so festes und muthiges Herz zu zagen begann? War es dem Vater zu verargen, wenn er trostlos weinte um sein einziges liebes Kind, das er allen Schrecken der Angst und Verzweiflung preisgegeben wußte?

Indeß war der helle Tag am Himmel heraufgekommen. Man mußte zu den Gefährten zurückeilen, um diese nicht länger in großer Besorgniß um die Suchenden zu lassen. Und Clignet eilte um so mehr, da er ja nicht wußte, wie es um seine liebe Hausfrau stehe. Der Steinhauer führte seine Begleiter auf dem kürzesten Pfade über die Höhe, und doch brauchten sie beinahe eine volle Stunde um an den Haupteingang zu gelangen. Ohne Rath und Trost, wie sie selbst, fanden sie die ganze Versammlung. Der Geistliche sah sich sogleich nach seinem Weibe um. Sie saß bleich und kraftlos auf einem Steine, die Stirne in die hohle Hand gestützt. Als Clignet ihren Namen rief, that sie einen lauten Schrei. Ihr Auge irrte suchend umher, und als es den Knaben nicht fand, bedeckte sie mit beiden Händen das Gesicht, und sagte leise wimmernd: „O, mein Kind ist lebendig begraben! Erbarme dich, mein Gott und Herr!“

Kein Auge war thränenleer bei dem Jammer der lieben Pfarrers-Familie. Der Geistliche selbst ermannte sich zuerst wieder, beugte sich zu seinem bekümmerten Weibe nieder und sagte laut: „Elisabeth, laß uns den Knaben dem treuen Menschenhüter befehlen, aber noch nicht alle Hoffnung aufgeben. Wir haben die Höhle nach einer Seite hin durchsucht, wir wollen nicht ablassen zu suchen, ob uns der Herr vielleicht unsern Sohn wieder finden lassen möchte.“

„Ja, geht, geht!“ versetzte die Pfarrerin schnell. „Eilet, jede Minute ist eine Ewigkeit der Todesangst für das arme Kind. Es könnte zu spät sein, wenn ihr länger säumet.“

Clignet hatte aber auch mit seiner theuern Gemeinde zu reden. Es waren ja alle, die umherstanden seine Kinder; ihr aller Wohl mußte ihm am Herzen liegen. „Liebe Kinder,“ sprach er daher: „das Unglück, das mein Haus trifft, soll nicht auch zum Schaden für euch werden. Es ist hohe Zeit, daß ihr weiter ziehet und aus diesem Lande der Gefahren euch auf sicheren Boden rettet. Ziehet hin unter dem treuen Schutze Gottes. Sobald ich meinen Knaben wieder gefunden, oder Gewißheit über sein Schicksal habe, werde ich euch folgen.

Meiner alten Mutter, meiner bekümmerten Frau und unseres Töchterleins nehmet euch freundlich an, bis ich euch wiedersehe, was Gott bald geschehen lassen möge."

Aber davon wollte niemand etwas hören. Die Leidensgefährten wollten auch in dieser Trübsal bei ihrem treuen Seelsorger ausharren und nicht eher weiter ziehen, bis man wisse, was aus dem Knaben geworden sei. Und so wurde denn schleunigst Anstalt getroffen, die Nachforschungen von neuem zu beginnen. Man sorgte für hinreichende Leuchten; man band alle Seile und Schnüre zusammen, um einen Leitfaden für die zu machen, welche in der Höhle einen andern Weg, als der Steinhauer, nehmen wollten. An einer solchen im Hauptgange befestigten Schnur konnten sie unfehlbar wieder den Rückweg finden. So begab sich denn noch eine größere Zahl von beherzten Männern in das Höhlen-Labyrinth und begann von neuem mit allem Eifer die Nachforschung nach dem verschwundenen Paul.

In größter Spannung und unter innigem Gebete harrten die Zurückgebliebenen Stunden lang. Endlich kam eine Abtheilung der Suchenden nach der andern ganz niedergeschlagen zurück. Zuletzt erschien der Pfarrer mit dem Steinhauer ebenfalls ohne Paul und bleicher und verstörter als zuvor. Sie waren in einem der Gänge auf ein menschliches Gerippe gestoßen. Da hatte vor vielen Jahren wohl auch ein Unglücklicher vergebens einen Ausgang gesucht und einen jämmerlichen Tod in der

Höhle gefunden. Der Eindruck, den diese Entdeckung auf den armen Vater machte, war fürchterlich, doch sprach er keine Sylbe davon.

Der Jammer der Pfarrerin und das Wehklagen der Gemeinde war nun herzzerreißend. Elisabeth jammerte zwar nicht mehr laut, wie anfangs, aber ihr stilles Wimmern schnitt dem gebeugten Gatten und allen andern um so tiefer in die Seele. Der Stuhl der Großmutter stand auf der Erde, Elisabeth lag vor ihr auf den Knieen und drückte ihr Gesicht in ihren Schooß, die kleine Marie hing schluchzend an ihr. Cornelia hatte die Hand auf das Haupt ihrer Schwiegertochter gelegt; aus ihren blinden Augen rannen große Thränen. Clignet drückte einige Minuten lang die linke Hand fest auf seine Augen, dann richtete er sich gerade auf, und sprach mit bebender Stimme, aber ernst und feierlich: „Herr, nicht unser sondern dein Wille geschehe! Elisabeth, das Kind, das Gott uns gegeben, war nicht unser, sondern sein. Hat er es uns genommen für diese Erdenzeit, so sei sein Name hochgelobt. Zwar ruhet seine Hand schwer auf uns, aber wir wollen uns demüthigen unter diese gewaltige Hand Gottes.“

Elisabeth hob ihr Haupt empor, und sagte im Tone der tiefen, demüthigen Ergebung: „Ja, Clignet, du hast recht. Gegen Gott wollen wir nicht murren, aber wohl gegen unsere eigene Sünde. Haben wir denn recht Acht gehabt auf das Kind, das er uns anvertraute?

Wird er nicht die Todesangst, die das Kind vielleicht jetzt leidet, einst uns zurechnen?"

„Elisabeth", versetzte der Geistliche fest: „das wird der Barmherzige nicht. Er weiß, daß wir nicht um der Welt willen die Heimath verlassen; er weiß, daß er uns hier eine große Zahl von theueren Kindern vertrauet hat, die um seines Namens willen mit uns Verfolgung leiden, und auf die wir achten mußten, wie auf unser eigen Fleisch und Blut; er weiß, daß es nicht sträflicher Leichtsinn war, der uns von unserm Kinde trennte. Und so wird denn er, der unser nicht vergißt, auch sein Auge offen haben über unserm Kinde mitten in der Finsterniß."

„Ja," sprach die Pfarrerin: „ich wollte seinen Namen noch mehr preisen, wenn ich wüßte, daß mein Kind todt wäre. Ich würde ruhig, obwohl mit Thränen sagen: Wir haben dich ziehen lassen mit Trauern und Weinen, aber Gott wird dich uns wiedergeben mit Freude und Wonne ewiglich; aber — —"

„Kein Aber, meine Tochter," sprach Cornelia: „wie du sagst, so wird der Herr thun, vielleicht noch hienieden. Fürchte dich nicht, denn ich bin bei dir, und will dich erretten, spricht der Herr! Er hat auch unsern lieben Paul in seine Hand gezeichnet, er hat ihn beim Namen gerufen, er ist sein. Der Herr ist bei ihm, sei's im Leben, sei's im Tode. Ihm sei er befohlen. Elisabeth, der Herr tröste und stärke dein betrübtes und zagendes Herz, damit dir nie das Wort gelte: Wer Sohn

4

oder Tochter mehr liebt, denn mich, der ist meiner nicht werth. Harre auf Gott, denn du wirst ihm noch danken, daß er deines Angesichtes Hilfe und dein Gott ist."

„Ja," sagte Elisabeth mit einem Blick gen Himmel: „weß soll ich mich trösten? Ich hoffe auf dich. Ich will schweigen und meinen Mund nicht aufthun; du wirst es wohl machen."

Clignet hatte ihre Hand gefaßt, und so schmerzlich bewegt seine Seele war, so mußte er sie doch freundlich ansehen. Er sprach kein Wort, aber seine Seele erkannte mit Dank, welch ein köstlicher Schatz ihm in seinem Weibe und in seiner Mutter geblieben.

In diesem Augenblicke kam ein Weib athemlos gelaufen. Es war die Frau des Steinhauers: „Wie? ihr seid noch da?" rief sie. „Eilet, eilet, denn wieder zeigt sich ein Trupp Soldaten in der Nähe. Es möchte euch übel ergehen, wenn ihr ihnen in die Hände fielet."

Das war ein neuer Schrecken für die unglücklichen Verbannten. In die Petershöhle zurückzukehren, schien ihnen nicht mehr rathsam. Clignet trieb darum zum schleunigen Aufbruche. Er selbst erklärte, er müsse zurückbleiben, um weitere Nachforschungen nach seinem Sohne anzustellen. Zwei beherzte junge Männer erklärten, sie würden ihm zum Schutze und zur Hilfe ebenfalls bleiben. Elisabeth wollte zwar Einwendungen machen, aber ihr Gatte redete ihr freundlich zu, und so ergab sie sich denn still in das Unvermeidliche. Der Steinhauer befahl seinem

Weibe, die Flüchtlinge auf dem Seitenwege eine oder zwei Stunden weit zu führen, weil er sich mit dem Geistlichen wieder in die Petershöhle begeben müsse. Es wurde verabredet, daß der Zug in Aachen den Pfarrer oder doch einen der beiden jungen Männer erwarten solle, und nun ging es in möglichster Eile voran. Der Abschied Cl ig-nets von den Seinigen, unter so betrübenden Umständen, that sehr wehe. Der gebeugte Vater konnte seine tiefe Bewegung nicht bergen, darum wandte er sich schnell ab und die Finsterniß der Petershöhle mußte seine fallenden Thränen verbergen.

Fünftes Kapitel.

Das große Grab.

Du lässest mich erfahren viele und große Angst, und machst mich wieder lebendig, und holst mich wieder aus der Tiefe der Erde herauf. Psalm 71, 20.

Wir müssen nun den verlorenen Knaben aufsuchen und sehen, was aus ihm geworden ist.

Paul war wirklich in der Petershöhle zurückgeblieben, oder vielmehr in dieselbe zurückgekehrt. Es ist bereits erzählt worden, daß es bei dem Auszuge der Wallonen aus dem unterirdischen Verstecke etwas bunt durcheinander

4*

ging, weil alle sich nach der freien Luft sehnten. Paul folgte damals dem Zuge, aber am Ausgange der Höhle fiel ihm ein, daß er die schönen Versteinerungen, welche ihm der brave Steinhauer gesucht und geschenkt hatte, ganz vergessen habe. Diesen seinen Schatz wollte er nicht zurücklassen. Schnell raffte er eine am Ausgang weggeworfene Fackel vom Boden auf, und eilte in die Höhle zurück, ohne daß dies von jemanden bemerkt worden wäre. Jedermann war zu sehr mit sich selbst beschäftigt. Glücklich kam der Knabe bei den Feuern am Lagerplatz an und fand bald wieder das Eckchen, in welchem er die hübschen Sachen aufbewahrt hatte. Nachdem er sie alle zu sich gesteckt, machte er sich eilig auf den Rückweg. Aber statt den Gang zu wählen, den er gekommen war, schlug er unglücklicherweise einen andern ein. Er hatte sich bei seiner Beschäftigung einigemal umgedreht, und indem er nun meinte, er dürfe nur gerade fortgehen, war er in einen der zahlreichen Seitengänge gerathen. Eine ziemliche Strecke weit lief er fort, ohne zu bemerken, daß er auf falschem Wege sei. Es konnte dies um so leichter geschehen, da die Finsterniß in diesen Gängen so tief ist, daß auch ein ziemlich starkes Licht kaum mehr als die Stelle beleuchtet, an der man eben steht. Zudem sind ja die breiteren Gänge der Höhle einander so gleich, daß nur ein sehr geübtes und bekanntes Auge sie zu unterscheiden vermag. Kurz, der Knabe bemerkte nicht eher, daß der eingeschlagene Weg nicht der rechte sei, bis er eine bedeutende Strecke vorwärts gelaufen war. Als er nach seiner Berechnung nahe am Ausgange sein mußte und immer noch kein Geräusch hörte, immer noch keine Helle erblickte, da ward ihm allmälig bange. Rascher lief er voran, doch überzeugte er sich noch deutlicher, daß er auf diesem Wege nicht zu den Seinigen komme. Er blieb stehen, sah sich um, rief laut und lauschte. Keine Antwort erfolgte. Da stieg seine Angst von Sekunde zu Sekunde. Vorwärts wagte er nicht mehr zu dringen. Er wandte sich rückwärts, und schlug einen der nächsten Seitenwege ein, von welchem er glaubte, er müsse nach dem Ausgange führen. Aber bald sah er sich in einem Labyrinthe gewundener Gänge, von denen immer einer in den andern führte. Jeden Augenblick war er unschlüssig, welchen er einschlagen sollte, und schlug wirklich jeden Augenblick einen andern ein, ohne es selbst zu wissen. Die Angst beflügelte seine Schritte, nnd wie ein gehetztes Wild eilte er fort so schnell es die Windungen der Gänge und manche Unebenheiten des Bodens erlaubten. Er fing an zu weinen, und schrie laut. Er blieb stehen um zu horchen, und da er nur den fernen Widerhall seiner eigenen Stimme vernahm, floh er dann noch mehr geängstigt weiter. Seine Angst erreichte den entsetzlichsten Grad, als seine Kienfackel bis nahe an seine Hand herabgebrannt war. Seine Stimme wurde heiser durch das unaufhörliche Angstgeschrei, unter seiner Stirne pochte es, als ob sie zerspringen wolle. Die Todesangst hatte ihn dem Wahnsinne nahe gebracht. Endlich erlosch auch die Fackel noch, und er stand umgeben von der undurchdringlichen Finsterniß dieses unermeßlichen Grabes. „Ach Gott! ach lieber Gott, rette mich!“ rief er verzweifelnd aus.

Wer könnte oder möchte die unaussprechliche Todesangst des armen Knaben schildern?

Stehen bleiben konnte und durfte er jedoch nicht. Mit vorgehaltenen Händen tappte er weiter, so schnell es ihm diese undurchdringliche Finsterniß erlaubte. Oft strauchelte er, oft stieß er an die Felswände, aber er hielt nicht mehr an. Die Verzweiflung trieb ihn vorwärts. Endlich nach langer und schrecklicher Todesangst verspürte er einen frischen Luftzug, und sah bald darauf einen matten Lichtschimmer aus der Ferne in die Höhle dringen. Wie vorher die Angst, so verwirrte jetzt die Freude seine Sinne. Alle seine Kraft nahm er zusammen, und flog im schnellsten Laufe dem nahen Ausgange zu.

Eine halbe Stunde etwa von der alten Stadt Lüttich ist der äußerste Ausgang aus der Petershöhle. Dieser war es, den Paul nach seiner unterirdischen Irrfahrt erreichte. Er stürzte hinaus und fiel unter dem freien Himmel weinend nieder auf sein Angesicht. Der arme Knabe war so furchtbar angegriffen, daß er an allen Gliedern zitterte. Und doch war in seiner Seele ein klares Gefühl, das des Dankes gegen den lieben Gott, der ihn von einem schrecklichen Tode gerettet hatte. Worte hatte er nicht, um diesen Dank auszudrücken, aber seine Seele war davon erfüllt.

Nach einiger Zeit erhob er sich von der Erde und schaute nun um sich, als ob er eben aus einem tiefen Traum erwache. Diese Gegend hatte er noch nicht gesehen; das war nicht die Pforte, durch welche er mit seinen Aeltern nnd Bekannten in die unterirdische Wohnung gezogen war. Hoch oben stand er auf einer hohen Felswand, die mit Gesträuch und Bäumen bekleidet war. Unter sich hörte er ein Wasser rauschen, und etwas weiter sah er in die Fluthen eines klaren Flusses, in dem sich der freundliche blaue Frühlingshimmel spiegelte. In weiterer Ferne erhoben sich die Thürme einer Stadt. Die Stadt var Lüttich, der Fluß die Maas. Staunend betrachtete Paul die liebliche Aussicht. O wie ganz anders war es da, als vorhin da unten im Bauch der Erde!

Aber ale diese Schönheiten und alle Freude darüber verschwander für Paul, als er seiner Aeltern gedachte. Er sah sich ja ganz allein; weit und breit war kein Mensch. We weit mochte er durch seine unterirdische Wanderung von den Seinigen sich entfernt haben? Dieser Gedanke überfiel den armen Knaben mit aller seiner Qual. Aber quälender noch war sein Durst. Zunge und Gaumen waren ihm wie vertrocknet. Doch da unten war ja ein Fuß, er hörte ja das Rauschen des Wassers. Da hinab mußte er, um seinen brennenden Durst zu stillen. Er eite vorwärts durch das Gebüsch, das die jäh abschüssige Felswand vor seinen Blicken verhüllte. Er sah und hörte kaum, so fieberisch brannte sein Kopf. Zu rasch stürmte er deßhalb voran, und mit einem gellenden Schrei stürzte er plötzlich tief hinab, und das Wasser der Maas schlug über ihm zusammen.

Sicherlich wäre Paul von den Wellen des Stromes fortgetragen und als Leiche etwa an eine ferne Stelle des Ufers getrieben worden, wenn nicht unweit der Felswand ein Fischer in seinem Kahne mit Fischen beschäftigt gewesen wäre. Dieser Mann sah glücklicherweise einen Gegenstand über die Felsen herabstürzen, er hörte den Schrei, sah, wie das Wasser hoch aufspritzte, und fuhr nun mit seinem Kahne hastig der Stelle zu, wo der Knabe unter dem Wasser verschwunden war. Eine kleine Strecke stromabwärts sah er einen Arm aus der Fluth auftauchen. Schnell eilte er dahin, und es gelang ihm in der That, den Verunglückten aus dem Wasser zu ziehen. Ob der Knabe noch lebe, oder nicht, konnte der Fischer nicht so bald unterscheiden. Paul lag wenigstens wie eine Leiche in dem Kahne. Ohne Säumen griff der Mann zum Ruder, fuhr gegen das andere Ufer hinüber und dann so schnell als möglich den Fluß hinauf. An einer Hütte, die einsam nicht fern vom Ufer stand, legte er an und trug nun den Knaben schleunigst in die niedrige Stube, welche zugleich zur Küche diente, und wo seine Frau am Herde stand, um das Mittagessen zu bereiten. Das Weib fuhr erschreckt zurück, als sie den leblosen Knaben in den Armen ihres Mannes hängen sah. Sie warf alles beiseite und half den Knaben entkleiden. Die beiden Leute rieben den leblosen Körper, schlugen ihn in warme Tücher ein und gaben sich alle erdenkliche Mühe, ihn wieder ins Leben zurückzurufen.

Während sie nun so beschäftigt waren und der Fischer seinem Weibe erzählte, wo und wie er den Knaben aufgefischt habe, hatten sie die große Freude, ihre menschenfreundliche Bemühung durch einen günstigen Erfolg belohnt zu sehen. Pauls Leben war noch nicht entflohen. Er athmete wieder. Im warmen Bette kehrte das Leben vollends zurück, nicht so die Besinnung des Knaben. Ein heftiges Fieber schüttelte ihn, und in seinen Phantasien redete er allerlei durcheinander. Er rief bald seinem Vater und seiner Mutter, bald nach Marien und der Großmutter; am öftersten sprach er von der finstern, schrecklichen Höhle, und zwar mit allen Zeichen und Ausdrücken des Entsetzens.

Der Fischer und seine Frau standen voll Mitleid und Erstaunen vor dem Lager Pauls. Sie hatten keinen Zweifel mehr darüber, daß dieser in der Petershöhle gewesen sein müsse. Darüber aber zerbrachen sie sich die Köpfe vergeblich, wo er her und wer seine Aeltern sein möchten. Daß er nicht gemeiner Leute Kind sei, bewiesen schon seine Kleider. Vielleicht war das ein Beweggrund mehr, den Kleinen recht sorgfältig zu pflegen. Jedenfalls thaten die armen Leute an ihm, was in ihren Kräften stand.

Tage vergingen so, ohne daß die Leute mit Paul ein vernünftiges Wort reden konnten. Der Fischer, dessen Hütte nur einige tausend Schritte von Lüttichs Mauern entfernt lag, kam fast täglich in die Stadt, erkundigte sich aber vergeblich nach den Aeltern des geretteten Knaben. Kein Mensch wußte etwas von einem verloren gegangenen Kinde.

Eines Abends, als der Fischer von seiner Tagesarbeit heimkehrte und den Nachen an die Kette legte, kam ihm sein Weib eilig aus der Hütte entgegen, und rief: „Philipp, es ist wie wir vermuthet haben, der Bube gehört zu den flüchtigen Reformirten, und ist gar eines Pfarrers Kind aus Antwerpen. Ist's denn auch vor unserm Herr-Gott recht, daß wir an einem ketzerischen Kinde so viel thun?“

„Geh', Frau,“ versetzte der Fischer: „wie magst du doch so reden? Protestant hin oder her, er ist ein Mensch. Und sage nur, was kann der Junge dafür, daß er keine christlichen Aeltern hat? Aber sprich, ist er denn völlig bei sich?“

„Seit er aus seinem tiefen und langen Schlaf aufgewacht ist, redet er ganz vernünftig,“ antwortete die Frau.

„Laß sehen!“ sagte der Fischer, und ging in die Hütte.

Paul lag noch matt auf dem Bette, aber er hatte seine volle Besinnung wieder. Das hitzige Fieber, in dem er mehre Tage lang gelegen, war gebrochen. Doch war dem armen Knaben noch Alles wie ein Traum. Der

Fischer merkte wohl, daß man noch nicht viel mit ihm reden dürfe, und fragte nur, wie es ihm gehe. „Gut", antwortete Paul: „nur matt bin ich. Aber wo ist mein Vater und meine Mutter? Bringet mich zu ihnen."

Frage und Wunsch des Knaben brachten die Leute in große Verlegenheit. Die Wahrheit durften sie ihm jetzt noch nicht sagen; was sollten sie ihm also antworten? Der Fischer half sich so gut als möglich, und vertröstete ihn auf morgen. Paul, der sehr matt war, gab sich wirklich zufrieden, und schlief bald wieder ein. Des andern Tages aber wachte er munterer auf, und fragte angelegentlicher nach den Seinigen. Da konnte der Fischer nicht mehr anders, er mußte ihm sagen, wie er ihn aus den Fluthen der Maas gezogen. Allmälig erinnerte sich Paul seines Sturzes von der Felswand und seiner Irrfahrt in der Petershöhle. Das alles erzählte er jetzt den beiden Leuten unter Thränen. Aber diese Thränen flossen noch reichlicher und der Jammer des armen Knaben war unsäglich, als ihm der Fischer gestehen mußte, daß er bis jetzt noch nichts von seinen Aeltern habe erfahren können. Doch suchte ihn Philipp damit zu trösten, daß er versprach, recht angelegentlich nach den Auswanderern zu forschen. Das that er denn auch, während Paul noch den größten Theil des Tages über das Bett hüten mußte und nur bisweilen aufstand, um mit matten, wankenden Schritten vor die Thüre der Hütte zu schleichen. Dort saß er öfters auf einem Baumstamm im warmen

Sonnenschein, und wartete mit Thränen der Sehnsucht auf die Heimkehr des Fischers, der auf Erkundigung nach seinen Aeltern ausgegangen war. Philipp kehrte aber jedesmal unverrichteter Sache zurück. Da hatten denn die armen Leute alle Mühe, den trostlos jammernden Knaben einigermaßen zu beruhigen. Wenn er dann fragte, welcher Weg nach der Stadt Frankfurt in Deutschland führe, wenn er davon sprach, daß er dahin laufen wolle, um die Seinigen wieder zu finden, da schlug die Fischersfrau die Hände zusammen und sagte: „Kind, das ist weit, entsetzlich weit, dahin kannst du so allein nicht gehen, du würdest unterwegs sicherlich zu Grunde gehen.“ Und nun schilderte sie ihm die Gefahren einer solchen Reise mit so grellen Farben, daß Paul sich in der That davor fürchtete und unschlüssig von einem Tage zum andern blieb.

Um ihn zu zerstreuen, nahm der Fischer den unglücklichen Knaben bisweilen mit auf den Fluß, und dieser vergaß wirklich stundenlang sein Leid, wenn er im Kahn auf dem Wasser dahinfuhr, oder wenn Philipp sein Netz auswarf und nach einiger Zeit eine hübsche Anzahl zappelnder Fische aus der Tiefe zog. Auch hatte ihm der Fischer eine Angel gegeben, mit welcher er oft am Ufer saß, von wo er dann seine Beute in die Hütte trug und die Frau bat, eine Mahlzeit davon zu bereiten. Aber alle diese Beschäftigungen und Zerstreuungen konnten doch das tiefe Heimweh nach den Seinigen nicht heilen.

Er kam nun auf den Gedanken, nach Antwerpen zu wandern. Dort hoffte er noch bekannte und befreundete Familien zu treffen, mit denen er seinen Aeltern nachziehen könnte. Wenigstens glaubte er, dort sicherlich etwas von diesen zu hören.

Als er den Fischersleuten diesen Plan mittheilte, schien er dem Manne wohl einzuleuchten, aber die Frau wußte allerlei dagegen einzuwenden. Sie machte auf die Weite des Weges, auf die Unsicherheit desselben aufmerksam, und sah überall nichts als Gefahren. Es schien in der That, als ob sie den Knaben nicht mehr gern von sich lasse. Sie hatte Gefallen an ihm, um so mehr, da sie selbst keine Kinder hatte. Nur eines war ihr ein Dorn im Auge, nämlich daß Paul protestantisch war. Sie war eben auch von dem Wahn befangen, der schon in jener Zeit so viel Unheil gestiftet hat, daß nur ein Katholik ein wahrer Christ sei, daß nur ein Katholik selig werden könne, ein Protestant aber ohne Gnade verdammt werden müsse. Sie glaubte das wirklich fest, und betrachtete deßhalb den kleinen Reformirten mit aufrichtigem Mitleiden. Es war ihr ein Gräuel, wenn er betete und dabei nicht das Kreuz schlug, nicht die Jungfrau Maria und keinen sonstigen Heiligen anrief. Und doch betete er das eigentliche Gebet des Herrn mit den nämlichen Worten, wie sie; und doch bekannte er mit denselben Worten, wie sie, den Glauben an Gott Vater, Sohn und heiligen Geist! Er galt nun einmal in ihren verblendeten Augen für ein der Hölle verfallenes Kind, so lange er in seinem reformirten Glauben bliebe. Nach ihrem zwar ehrlich gemeinten aber leider ganz verkehrten Sinne wäre es besser gewesen, wenn der arme Knabe auf immer von den Seinigen getrennt bleiben müßte, als daß er sie wieder finden und als Protestant leben und sterben sollte.

Obgleich sie das nicht einmal ihrem etwas billiger denkenden Manne klar sagte, so war es der Hauptgrund für alle die Schwierigkeiten und Hindernisse, die sie jedem Schritte in den Weg legte, der zur Wiedervereinigung Pauls mit seinen bekümmerten Aeltern hätte gethan werden können. Sie war dabei gutherzig genug, daß die Thränen des Knaben sie lebhaft rührten, sie dachte wohl auch an den Jammer seiner Aeltern und bedauerte sie, und doch konnte sie, von ihrem unseligen Wahne befangen, sich nicht entschließen, Paul von sich zu lassen, und hielt ihn darum fortwährend mit allerlei leeren Vertröstungen auf die Zukunft hin. Auch hatte sie, wie gesagt, den Knaben lieb gewonnen, aber sie war selbst nicht Mutter, sie hatte darum kein Mutterherz, sonst hätte sie ihn wahrlich nicht zurückzuhalten vermocht.

Sechstes Kapitel.

Die Versuchung.

Wie ihr nun angenommen habt den Herrn Jesum Christum, so wandelt in ihm, und seid gewurzelt und erbauet in ihm, und seid fest im Glauben, wie ihr gelehret seid. Col. 2, 6. 7.

Mehr als ein Jahr war verflossen — Paul Clignet wohnte noch in der Fischerhütte am Ufer der Maas bei Lüttich. Die Fischerin hatte es trefflich verstanden, ihn zurückzuhalten.

In der freien Luft, draußen auf dem Flusse, wo er dem Fischer bei seinem Gewerbe fortwährend Handreichung that, war Paul ein noch viel kräftigerer Knabe geworden, als er es früher schon zu werden versprach. Bedeutend gewachsen, konnte er in seinem Alter von elfthalb Jahren für groß gelten. Dabei waren seine Glieder wesentlich stärker geworden durch häufige Uebungen im Laufen, Schwimmen und durch allerlei Arbeit, die er frisch und kräftig angriff. Sein Gesicht war frisch, von der Sonne gebräunt und von dichtem dunkelbraunem Haare überschattet. Aber auf den Zügen dieses Gesichtes lag ein ungewöhnlicher Ernst, und seinem ganzen Ausdrucke sah man an, daß in diesem jungen Kopfe ein bedeutender Grad von Willensstärke und Festigkeit wohnte.

Die Fischerin namentlich hatte nicht selten Gelegenheit, Proben dieses festen Willens zu sehen. Seit geraumer Zeit schon wiederholte sie fast täglich ihre Versuche, den Knaben in den Schoos der katholischen Kirche zu führen, aber immer vergebens. So oft sie davon anfing, so oft sie ihn bewegen wollte, so wie sie zu beten, oder mit ihr und ihrem Manne in eine der Kirchen Lüttichs zur Messe zu gehen, stellte er ihr eine beharrliche Weigerung entgegen. Zwar bezeigte er sich bei diesen Gelegenheiten nie eigentlich trotzig oder mürrisch, er war nicht undankbar gegen die Leute, die ihn vom Tode gerettet und so gastlich aufgenommen hatten und ihn wie ihr Kind behandelten; er bat jedesmal nur, man möge ihm das nicht zumuthen, weil es gegen den evangelischen Glauben streite, in dem er getauft und von seinem frommen Vater bisher erzogen und unterrichtet worden sei. Damit blieb er unverrückt bei seiner bisherigen Art zu beten und zu denken. Da er aber in keine Schule kam, auch gar kein Buch besaß und besonders seine Bibel schmerzlich vermißte, so ging er an Sonn- und Festtagen gewöhnlich allein in ein nahes Wäldchen, suchte sich ein stilles Plätzchen auf, und hielt da allein unter dem freien Himmel und den Bäumen des Waldes seinen einsamen Gottesdienst. Da betete er zu seinem Gott und Heilande und suchte sich alle die Erzählungen aus der heiligen

Schrift, alle Lehren und Ermahnungen, die er in Kirche und Schule und besonders von seinen theueren Aeltern und der lieben Großmutter Cornelia gehört, oder die er selbst schon gelesen hatte, in das Gedächtniß zurückzurufen.

Diese stillen Stunden waren für den wackeren Knaben niemals ohne großen Segen, nie kehrte er in die Fischerhütte zurück, ohne sich gestärkt und im Glauben befestigt zu fühlen. Aber ernster, stiller war er jedesmal nach diesem einsamen Gottesdienste. Denn dort unter freiem Himmel oder in der Stille des Waldes flossen seine meisten Thränen, Thränen, die kein anderes Auge sah, als das Auge des ewigen Vaters, der in das Verborgene sieht. Da weinte er über sein hartes Geschick, so lange schon von seinen Aeltern getrennt zu sein; da bat er Gott mit heißem Flehen, er möge ihn doch wieder zu seinen Lieben führen; da faßte er auch den festen Vorsatz, sobald es nur immer möglich wäre, nach Deutschland zu wandern und die flüchtige Gemeinde aufzusuchen, zu welcher er mit allen den Seinigen gehörte. Nie vergaß er dabei, den Herrn um Kraft und Beistand zu bitten, damit er nie den Glauben verläugnen möge, um dessen willen Vater und Mutter und viel tausend Menschen das theuere Vaterland verlassen und alle zeitlichen Güter und Vortheile aufgegeben.

Bei solcher Gesinnung des durch Unglück frühzeitig heimgesuchten, aber dadurch auch innerlich gekräftigten

Knaben war es kein Wunder, daß alle Versuche der Fischerin, ihn zu ihrem Glauben herüber zu ziehen, erfolglos blieben. Dennoch ließ sie nicht von denselben ab, ja sie hatte sich in der letzten Zeit sogar einen kräftigeren Beistand zu ihrem, wie sie meinte, Gott wohlgefälligen Bekehrungswerke gesucht. Wir werden bald sehen, wer derselbe war.

Am Tage vor Mariä Himmelfahrt saß Paul am Ufer der Maas und hatte seine Angel ausgeworfen. Die Fischerin trat heran, sah ihm eine Weile ruhig zu, und sagte dann freundlich: „Nun, Paul, wirst du denn einen ordentlichen Festtagsbraten für morgen fangen? Es ist einer der heiligsten Tage, den wollen wir recht feiern, und dazu gehört auch ein guter Schmaus.“

„Ich will sehen, Mutter Anna, ob mir das Glück günstig ist,“ erwiderte Paul.

„Der heilige Antonius, der die Fischer beschützt, wird dir ja hold sein,“ sagte die Frau. Paul antwortete nichts, und die Fischerin hob nach kurzem Schweigen wieder an: „Paul, möchtest du mir nicht einmal einen großen Gefallen thun?“

Der Knabe legte rasch die Angelruthe hin, sprang auf, und sprach: „von Herzen gern, Mutter Anna. Saget mir nur, was ich Euch thun soll. Soll ich Holz holen, oder — —“

„Nichts von der Art, mein lieber Sohn!“ fiel ihm das Weib ins Wort. „Es ist ein anderer Gefallen, den du mir thun magst, wenn du mir eine große, recht große Freude machen willst."

„Sagt mir, was es ist," versetzte Paul: „wenn ich's thun kann, geschieht's gewiß."

„Ja, ich weiß, du bist ein braver Junge," sprach die Frau: „du hast guten Willen, und wirst mir auch meinen sehnlichen Wunsch erfüllen, denn du kannst es leicht. Nicht wahr, lieber Paul, du gehst morgen mit in die Stadt?"

„Wenn Ihr es wünscht, recht gern," sagte der Knabe.

„Da wirst du eine Pracht und Herrlichkeit sehen!" sprach die Fischerin. „Denn du gehst natürlich mit in die Kirche zu unserer lieben Frau und mit der großen, prächtigen Procession."

Paul schüttelte den Kopf, und erwiderte: „Nein, Mutter Anna, zur Messe kann ich nicht gehen und mit der Procession auch nicht. Ich hab' es Euch schon oft gesagt, daß das gegen meinen evangelisch-reformirten Glauben ist."

„Du lieber Himmel!" rief das Weib: „bist du denn immer noch so verstockt? Willst du denn ewig ein Ketzer bleiben?"

„O scheltet mich nicht!" sagte der Knabe betrübt: „Ich bin christlich getauft auf Gott Vater, Sohn und heiligen Geist, und an den glaube ich, wie ich es gelehrt worden bin aus der Bibel. Und in der Bibel steht ja: „Wer da glaubet und getauft wird, der wird selig wer-

5*

den, wer aber nicht glaubt, der wird verdammt werden." Darum verdammet mich nicht, liebe Mutter Anna, denn in der Bibel steht: „Verdammet nicht, so werdet ihr auch nicht verdammet."

„Du kleiner Prediger!" eiferte das Weib: „du weist von nichts zu reden, als von deiner Bibel."

„Saget nichts gegen die Bibel," sprach der Knabe ernst und fest: „die Bibel ist Gottes Wort, und aus dieser allein schöpfen wir Reformirten unsern Glauben."

„Was kümmert mich das!" entgegnete Anna: „ich habe noch nicht in der Bibel gelesen, ich weiß aber, daß das Gottes Wort ist, was der Papst und die heilige katholische Kirche sagen, und die werden doch wohl wissen, was in der Bibel steht. Jedenfalls wird auch drin stehen von der heiligen Jungfrau, der Mutter Gottes, und doch willst du ihr nicht die schuldige Verehrung erweisen."

„Freilich steht von der Jungfrau Maria, der Mutter unseres Heilandes, in der Schrift," sagte Paul: „aber es steht nicht darin, daß wir sie anrufen oder zu ihr beten sollen. Wir Reformirten achten die Mutter Jesu sehr hoch, sagte mein guter Vater oft und meine Großmutter Cornelia, aber wir verehren sie nicht mit Gottesdienst, denn es steht geschrieben: Du sollst Gott, deinen Herrn, anbeten und ihm allein dienen. Wir beten nur zu dem dreieinigen Gott Vater, Sohn und heiligen Geist."

Die sonst gutmüthige Frau wurde heftig, weil sie nicht einmal im Streit mit dem jungen Knaben fort=

kommen konnte. „Kurzum," rief sie ärgerlich; „du magst dich wehren oder nicht, es bleibt dir nichts anders übrig, du mußt doch katholisch werden."

Paul sah sie starr und erschrocken an. Was sie bisher nur auf gelinde Weise gewünscht, worum sie ihn nur freundlich gebeten hatte, das sagte sie jetzt schroff und bestimmt heraus. So hatte er sie noch nicht gesehen. Allein Paul hatte in seinem Wesen etwas Festes, wonach er am wenigsten durch Zwang zu etwas zu bringen war. Nach einigen Augenblicken sagte er freundlich: „Mutter Anna, das ist Euer Ernst nicht."

„Ja es ist mein Ernst, mein voller Ernst," fuhr das Weib heraus.

„Das werdet Ihr nicht erleben," sprach Paul fest und bestimmt.

„Nicht?" rief die Fischerin. „Das wollen wir sehen. Was willst du denn anfangen?„

„Ich will thun, was ich schon längst wollte," antwortete Paul. „Ich will fortgehen und meinen Vater und meine Mutter aufsuchen."

„Das wird dir vergehen," versetzte die Frau. „Wohin wolltest du denn laufen? Alle Reformirten sind aus dem Lande gejagt, und der Herzog Alba, der schon ein ganzes Jahr im Regiment ist, hat gesorgt, daß keiner mehr durchkommt. Keine Maus kommt durch vor seinen Spionen und Soldaten. Die wilden Spanier sollten dich kleinen Burschen bald am Schopf haben, und dann könntest du erst zusehen, wie es dir erginge."

„In Gottes Namen!" sagte Paul. „Ehe ich mich von Euch zwingen ließe, meinen Glauben zu verlassen, lieber würd' ich es wagen, durch all die Soldaten durchzukommen."

Er sagte das mit solcher Entschiedenheit, daß Anna stutzte. Sie kannte seinen festen Willen, und mußte ihn also wohl dessen fähig halten, was er eben gedroht. Das war jedoch in keiner Weise, was sie wünschte. Dabei ärgerte sie sich über seine hartnäckige Verstocktheit; denn sie nach ihrem Verstande konnte seine entschiedene Weigerung für nichts anders halten. Während sie sich noch besann, was jetzt zu sagen sei, richtete sie ihr Auge nach der Stadt hin. „Ah!" rief sie: „da kommt der rechte Mann, der dir sagen wird, was du zu thun hast."

Paul schaute auf, und sah einen Mönch auf die Fischerhütte zukommen. Es war Annas Beichtvater, dem diese vor kurzem endlich vertraut hatte, daß sie schon länger als ein Jahr einen protestantischen Knaben, den Sohn eines Predigers aus Antwerpen, beherberge. Er hatte ihr Vorwürfe gemacht, daß sie ihm dies so lange verheimlicht habe. Indeß war er doch mit ihr nicht unzufrieden, weil er sah, daß sie ernstlich darauf ausging, den Jungen der katholischen Kirche zuzuführen. Er hatte ihr gesagt, er werde in diesen Tagen selbst einmal kommen und zusehen, was mit Paul zu machen sei. Da war er nun zur unglücklichen, freilich wie Anna meinte, zur glücklichen Stunde. Die Fischerin begrüßte ihn mit tiefer Demuth, und bat um seinen Segen, Paul aber stand scheu auf der Seite, und hatte in diesem Augenblicke keinen sehnlicheren Wunsch, als daß wenigstens der Fischer Philipp zu Hause sein möchte. Er wußte ja, daß dieser niemals so in ihn gedrungen war, seinem Glauben zu entsagen, sondern daß er darin milder dachte, als sein Weib.

„Das ist wohl Paul?“ hob der Ordensmann an mit einem fragenden Blick auf seine Beichtbefohlene. Diese bejahte, und fuhr dann sogleich fort zu berichten, wie sie so eben versucht habe, seinen starren Sinn zu erweichen, wie er aber rund heraus erklärt habe, daß er nicht zur Messe und nicht mit der Procession gehen werde, daß er die heilige Jungfrau nicht verehren wolle und ihr immer mit Bibelsprüchen Widerpart halte.

„Was ein Dorn werden will, spitzt sich bei Zeiten,“ sagte der Klostergeistliche mit einem sonderbaren Lächeln und einem forschenden Blick auf den Knaben. „Doch, mein Sohn, du bist groß und, wie mir scheint, verständig genug, um der Vernunft und der Wahrheit Gehör zu geben, darum höre mich an.“ Und nun stellte der ehrwürdige Pater dem Knaben sein, seiner Aeltern und aller Protestanten Unglück dar als eine Strafe Gottes für ihre gräuliche Verirrung und halsstarrige Verstocktheit. Er sprach im Ganzen mild zu ihm, und doch wieder sehr hart. Nur der Ton klang milde, was er sagte, war schneidend hart. Wie war das alles so ganz anders, als das, was Paul von seinem Vater zu hören gewohnt war! Der Mönch wollte dem Knaben kurz beweisen, der Glaube der Protestanten sei gar nicht christlich, sondern eine Ketzerei. Er sprach viel von der katholischen als der allein seligmachenden Kirche und von der Verdammniß aller derer, die ihr nicht angehörten.

Bei Paul bewirkte der Pater durch seine Reden das gerade Gegentheil von dem, was er bewirken wollte. Der Knabe war in der Schule, welche er von seinen ersten Jahren an durchgemacht, reifer geworden, als der Mönch dachte; er war trotz seiner Jugend schon tiefer begründet in den Lehren seines evangelischen Glaubens, als daß ihn solche Gründe, wie sie der Pater vorbrachte, hätten wankend machen sollen. Zwar erwiderte er ihm sehr wenig, aber er berief sich auf seinen Vater, er erklärte bescheiden aber bestimmt, daß er gelernt habe und glaube, die Lehre der protestantischen Kirche sei die Lehre der hl. Schrift, und fügte hinzu, er wolle, wie sein Vater, darauf leben und sterben.

„Darauf leben?" sagte der Mönch: „das wird nicht gehen, mein Junge, darauf sterben, das könnte dir eher passiren, wenn du nicht Vernunft annimmst. Weißt du nicht, daß kein Protestant mehr im Lande geduldet wird, und daß jedem hartnäckigen Ketzer der Tod bevorsteht?"

„So will ich heute noch fortgehen," versetzte Paul.

„Daraus wird nichts, mein Bester!“ rief der Mönch: „sondern du gehst mit mir. In unserm Kloster soll es dir an nichts fehlen, du wirst es gut haben, und Zeit und guter Unterricht werden dich deinen Irrthum einsehen lassen: Glaube mir, du wirst sicherlich von der Wahrheit der katholischen Religion überzeugt werden. Komm, mein Sohn!“

Der Vater ergriff Pauls Hand. Da blitzte das Auge des Knaben, rasch zog er die Hand zurück, und sagte erregt: „Herr Vater, ich gehe nicht mit ins Kloster.“ Dieser hatte ihn jedoch sogleich wieder am Arme gefaßt und hielt ihn fest. „Bursche,“ sprach er streng: „nimm Vernunft an und folge mir willig, es möchte dir sonst übel ergehen.“

In demselben Augenblicke kam der Fischer, der nach der Stadt gegangen war. „Vater Philipp“, rief ihm Paul entgegen: „o helfet Ihr mir. Sie wollen mich in ein Kloster führen.“

Der Fischer eilte herzu, verbeugte sich tief vor dem Ordensmanne, und fragte: „Ehrwürdiger Vater, was wollt Ihr mit dem Knaben?“

„Ins Kloster will ich ihn führen, damit er einmal unterrichtet und aus seinem verdammlichen Irrthume herausgerissen werde.“

„O lasset ihn bei mir,“ bat der Fischer, und nahm Paul bei der Hand. „Er ist ein folgsamer Junge und wird mit der Zeit schon einsehen, daß er im Irrthum war.“

„Mit der Zeit?" rief der Mönch. „Höre, du hast ihn schon allzulange bei dir verheimlicht und nichts für sein Seelenheil gethan. Du hast zugleich schlecht für deine Kirche gesorgt. Was meinst du, was dir geschehen würde, wenn ich dein Vergehen anzeigte? Wenn du nicht auch in die Strafe verfallen willst, die auf der Ketzerei steht, so laß ihn augenblicklich los. Ich muß wissen, was mit ihm zu thun ist."

Der Fischer, welcher wohl wußte, wie theuer ihm selbst jeder Widerspruch zu stehen kommen würde, ließ den Knaben los. Er war eingeschüchtert durch des Paters Drohung, und doch that es ihm im Herzen wehe, daß Paul ihm entführt werden sollte. Selbst Anna hatte nicht gedacht, daß es dahin kommen würde, und bereute fast, ihrem Beichtvater das langbewahrte Geheimniß vertraut zu haben. Paul aber bebte, als der Mönch wieder seine Hand ergriff. Er warf einen ängstlichen Blick umher, und sagte rasch: „Also Ihr könnt und wollt mich auch nicht schützen, Vater Philipp? Gott sei mir gnädig!" Und im Nu hatte er seine Hand aus der des Ordensgeistlichen gerissen, sprang wie ein flüchtiges Reh eine kurze Strecke am Ufer hinab, stürzte sich dann in den Strom, und schwamm mit Anstrengung aller seiner Kräfte einem Fahrzeuge zu, das eben von den Wellen hinabgetragen wurde.

Entsetzt standen zuerst die drei Personen in der

Nähe der Fischerhütte. „Auf! ihm nach!“ schrie jetzt der Mönch, und Philipp eilte ans Ufer, um seinen Nachen loszuketten. Diesem war es am wenigsten bange um den Knaben, er kannte ihn ja als sehr geübten Schwimmer. Mit scharfem Auge sah er ihm nach, und da er alsbald seine Absicht errathen hatte, das Schiff zu erreichen: so beeilte er sich nicht allzusehr, sondern that, als ob er vor lauter Eile den Kahn nicht schnell genug vom Pflocke lösen könne. Er hätte den Jungen sehr ungern in die Hände des Mönchs geliefert.

Während indessen Philipp vom Lande stieß und stromabwärts ruderte, eilten Anna und ihr Beichtvater am Lande hinab. Aber der kräftige Knabe bewies sich als rüstigen Schwimmer. Bald war er dem Schiffe nahe. Auf diesem befand sich ein Herr und eine Dame, beide in reicher Kleidung, wie sie die vornehmen Leute in Frankreich zu jener Zeit trugen. Diese waren von ihren Sitzen aufgesprungen und sahen ängstlich dem heranschwimmenden Knaben zu. Die Schiffer hielten die Ruder an, und Spannung und lebhafte Theilnahme zeigte sich auf jedem Gesichte. „Werfet ihm ein Tau zu!“ befahl die Dame, und schnell gehorchten die Schiffer. Paul ergriff das Tauende mit kräftiger Hand, und in wenig Sekunden hatte er sich an dem Fahrzeuge heraufgearbeitet. Erschöpft sank er in der Nähe der Dame in die Kniee und rief flehend: „Edle Frau, rettet mich, sie wollen mich in ein Kloster sperren.“

„Ah! ist es das?" sagte die Dame. „Sind denn diese Leute nicht deine Aeltern?"

„Nein! nein!" rief Paul: „ich habe hier keine Aeltern."

In diesem Augenblicke war der Fischer nur noch eine kleine Strecke von dem Schiffe entfernt: „Haltet! gebt mir den Knaben heraus!" schrie er voll Wuth, und ähnliche Rufe ertönten vom Ufer her.

„Um Gottes Willen, edle Frau, rettet mich!" bat Paul in reinem Französisch!"

Die Dame horchte auf, als sie den Knaben so gut französisch reden hörte. Ohne sich lange zu besinnen, rief sie den Ruderern zu: „Fort, so schnell als möglich!" Diese setzten die Ruder ein, und das leichte Fahrzeug flog pfeilschnell den Strom hinab. Fischer, Mönch und Weib waren bei der nächsten Krümmung des Flusses aus den Augen des geängsteten Knaben entschwunden.

Siebentes Kapitel.

Die Hugenotten in Frankreich.

Sie verführen mein Volk und sagen: Frieden! so doch kein Friede ist. Ezech. 13, 10.

Der fernere Verlauf unserer Geschichte führt uns nun in ein anderes Land, nach Frankreich nämlich.

Wie in den Niederlanden, so hatten bekanntlich auch in Frankreich die Grundsätze der Reformation Eingang gefunden, besonders seit König Franz I. zum öftern in ein Bündniß mit den deutschen Protestanten getreten war. Indessen fanden die französischen Protestanten bei dem königlichen Hofe keinen Schutz, sie wurden vielmehr gleich anfangs heftig verfolgt. Zwar hatten sie die Königin Margaretha von Navarra, die Schwester von Franz I. für sich gewonnen, aber die beschützende Macht dieser Dame reichte ja nicht über Frankreich, sondern kaum über das kleine Königreich Navarra am Fuße der Pyrenäen. In allen Provinzen Frankreichs arbeitete die Inquisition ämsig an der Unterdrückung der kirchlichen Bewegungen. Trotz aller Strenge und Grausamkeit konnte sie jedoch dieselben nicht mehr unterdrücken. Besonders seit der große Reformator

Calvin von Genf aus den größten Einfluß auf die Franzosen gewonnen hatte, bekannten sich diese in immer größerer Anzahl zu der gereinigten christlichen Lehre. Vergebens wüthete der nachfolgende König Heinrich II. gegen die Calvinisten, vergebens rauchten die Scheiterhaufen, vergebens arbeiteten Schwert und Strang und Henkerbeil gegen die Protestanten, ihre Zahl ward immer größer.

Heinrich II. starb. Er hatte nur den Anfang der großen Verwirrung gesehen, die unter seinen Söhnen erst den höchsten Grad erreichen sollte. Franz II. und noch mehr sein Bruder und Nachfolger, der unmündige Knabe Karl IX., wurden beide von ihrer ränkesüchtigen Mutter, Katharina von Medicis, beherrscht und geleitet. Unter ihrer Regentschaft entbrannte der Bürgerkrieg in heller Flamme. Und dieser Krieg war nicht bloß religiöser, sondern auch politischer Natur, obgleich man alles, was geschah, auf Rechnung der religiösen Bewegung zu schreiben suchte. So viel ist gewiß, daß die Wuth und Erbitterung von beiden Seiten beispiellos furchtbar war. Von beiden Seiten wurden die empörendsten Gräuel verübt. Die grausamen Verfolgungen, welche die Protestanten von den Katholischen zu erdulden hatten, stachelten ihren Glaubenseifer bis zum Fanatismus, ihre Rachsucht bis zur finstersten Grausamkeit. Sie bezahlten ihre Peiniger und Verfolger bei jeder Gelegenheit mit gleicher Münze. In diesen Kämpfen achtete keine Partei mehr auf die Stimmen der Menschlichkeit; der wilde, grimmige Haß ließ keine Schonung zu. Alles, was dem Gegner werth und heilig war, wurde mit Füßen getreten, geschändet, vernichtet.

Wenn man die Geschichte jener Tage lies't, so schaudert man zurück vor den unerhörten Gräueln, welche sie so schrecklich bezeichnen.*) Man kann den Wunsch nicht unterdrücken, Gott möge alles Volk in Gnaden bewahren vor einem Bürgerkriege, besonders vor einem Religionskriege, welcher der schrecklichste unter allen ist, weil im Namen der Religion, im Namen Gottes die gräßlichsten, fluchwürdigsten Thaten geschehen.

Im Frühlinge des Jahres 1568 wurde zwar zwischen den Katholiken und den Hugenotten ein Friede geschlossen, aber die letzteren trauten der Ruhe nicht. Hatte ja doch das Parlament, dieser oberste Gerichtshof zu Paris, die reformirte Lehre förmlich verdammt und über alle ihre Anhänger das Todesurtheil ausgesprochen. Auch kannten die Hugenotten zu gut den Grundsatz ihrer Gegner, daß man einem Ketzer weder Wort noch Eid zu halten brauche. Sie waren deßhalb auf ihrer Hut und blieben immer zu neuen Kämpfen gerüstet. Es

*) Es kann hier nicht die Absicht des Verfassers dieser Erzählung sein, die Geschichte jener religiösen Kämpfe ausführlicher zu geben. Wer sich näher darüber unterrichten will, lese zum Beispiel nur Schillers unparteiisch geschriebene „Geschichte der Unruhen in Frankreich, welche der Regierung Heinrichs IV. vorangingen.“

zeigte sich bald, wie nothwendig diese Vorsicht war; denn noch in demselben Jahre begann der Kampf aufs neue und, wo möglich mit noch größerer Wuth. Die beiden berühmten Häupter der Protestanten, der Prinz von Condé und der weise und tapfere Admiral Coligny, sollten gefangen genommen und dann die Reformirten mit einem Schlage leicht vernichtet werden. Condé und Coligny aber entkamen, und warfen sich in die feste Seestadt Rochelle. Diese wohl befestigte Stadt hatten die Reformirten zu ihrem hauptsächlichsten Waffen- und Sammelplatze gemacht, und als der Prinz von Condé und der Admiral Coligny am 18. September 1568 dort ankamen, fanden sie daselbst schon eine ziemlich bedeutende Heeresmacht, und zogen eine noch größere dort zusammen.

Um diese Zeit war es, als eines Tages ein Kaufmannsschiff im Hafen von Rochelle vor Anker ging, und auf diesem Schiffe befand sich unser junger Freund Paul Clignet.

Der junge reiche Kaufmann Renaud von Rochelle, der auf früheren Reisen öfters nach Lüttich gekommen war, hatte dort die Tochter eines Handelsfreundes kennen gelernt und sie gerade an dem Tage als seine Gattin heimgeführt, an welchem Paul den Händen des Mönches überliefert und in ein Kloster gebracht werden sollte. Mit den beiden jungen Eheleuten war er Knabe die Maas hinab bis nach Rotterdam gefahren, wo Renaud's Schiff lag, das ihn mit Weib und Gütern nach der Heimath bringen sollte. Wohl war der Knabe tief betrübt gewesen, als er einsah, wie er sich immer weiter von seinen lieben Aeltern entferne, aber was hätte er thun sollen? Allein konnte er ja nicht in dem Vaterlande bleiben, das unter der eisernen Ruthe des Herzogs Alba sich krümmte, und den Bekennern seines Glaubens gar keine Sicherheit mehr bot. Schon um sein Leben zu retten, mußte er mit seinen Beschützern das Schiff besteigen, das sie nach der fernen Küste Frankreichs bringen sollte. Zudem bezeigten sich Renaud und seine junge Gattin so freundlich gegen den verlassenen Jungen, trösteten und ermuthigten ihn so liebreich, daß er am Ende froh war, in solche Hände gerathen zu sein.

Als das Schiff im Hafen von Rochelle landete, fanden die Reisenden die feste Seestadt in eigenthümlicher Bewegung. Sie wimmelte von protestantischen Kriegern, deren Zahl täglich zunahm, seit Condé und Coligny innerhalb der festen Mauern weilten. Auch Renaud's schönes und geräumiges Haus war theilweise besetzt. Indeß waren die Gäste dem Hausherrn keineswegs unangenehm, sie waren seine nächsten Verwandten, nämlich seine leibliche Schwester sammt ihrem Gemahl, dem Herrn von Sevre, einem Hauptmanne im protestantischen Heere.

Dieser Edelmann zeigte alsbald ein lebhaftes

Interesse für den jungen Clignet, der um des Glaubens willen schon so frühe Schweres erduldet und wahrhaft männliche Festigkeit bewiesen hatte. Auch Paul, der wie ein Glied der Familie behandelt wurde, fühlte bald eine herzliche Zuneigung zu dem Edelmanne. Gewöhnt an die Stille des Pfarrhauses zu Antwerpen und an die Einsamkeit der Fischerhütte bei Lüttich, kam ihm das bunte kriegerische Leben und Treiben in la Rochelle ganz eigenthümlich vor. Seine Neugier wurde gereizt und der Hauptmann mußte ihm oft über dieses und jenes Rede stehen. Vor allen sollte ihm dieser die Helden Condé und Coligny zeigen, und er betrachtete mit wahrer Ehrfurcht diese großen Männer, welche den Glauben vertheidigten, um dessen willen sein Vater mit der ganzen Gemeinde in die Verbannung gezogen war.

Noch ein anderer Umstand trug dazu bei, den Knaben fester mit Herrn von Sevre zu verbinden. Dieser erzählte ihm nämlich, daß auch deutsche Fürsten den französischen Protestanten zu Hilfe kämen, und versprach ihm, gelegentlich Erkundigung über die nach Deutschland ausgewanderten Wallonen einzuziehen. Das belebte in Pauls Seele die Hoffnung, einstens doch wieder mit den Seinigen vereinigt zu werden, an denen er mit unaussprechlicher Liebe und Sehnsucht hing. In dieser Hoffnung trug er die schmerzliche Trennung leichter, und da er in Renaud's Hause fortwährend mit wahrhaft väterlicher und mütterlicher Liebe behandelt wurde, und jeder Tag ihm irgend ein neues Schauspiel darbot: so vergingen ihm im fremden Lande die Tage leicht und schnell.

Besonders lieb war es ihm, daß er hier wieder, wie in Antwerpen, die Kirche besuchen und die Prediger das Wort Gottes verkündigen hören konnte. Ein Unterschied zwischen diesen und seinem guten Vater fiel ihm aber doch auf. Er fand, daß sie bisweilen zu heftig und erbittert gegen die Katholischen eiferten. Es fiel ihm dabei ein, daß sein Vater oft gesagt hatte: „Sie sind zwar unsere bittersten Feinde, und thun uns alles Leid und alle Drangsal an, aber hassen dürfen wir sie darum doch nicht, denn die meisten von ihnen wissen nicht, was sie thun, indem sie uns so grausam verfolgen."

Zu Hause hatte Paul auch wieder eine Bibel, las fleißig das Wort Gottes und weinte oft stille Thränen, wenn ihm einer jener gewaltigen Aussprüche aufstieß, die er oft aus dem Munde der blinden Großmutter Cornelia gehört hatte. Es war ihm dabei, als höre er die fromme Frau wieder, und die Sprüche, die aus ihrem Munde wie wunderbar tröstliche Weissagungen klangen, trösteten dann auch sein jugendlich zagendes und sehnsuchtvolles Herz.

Neben dieser Beschäftigung mit dem Heiligsten, was der Christ auf Erden hat, trieb er aber auch noch eine

6*

andere. Herr von Sevre unterrichtete ihn in freien Stunden im Gebrauche der Waffen. Es war ja leider eine Zeit, in welcher die Protestanten Frankreichs neben dem Schwerte des Geistes, welches ist das Wort Gottes, auch das eiserne Schwert handhaben mußten, wenn sie nicht von ihren Gegnern mit einem Schlage vernichtet werden wollten. Freilich konnte Herr von Sevre nicht gar lange zu Rochelle weilen, der Kampf hatte wieder begonnen, und nur die strenge Kälte des Winters setzte demselben ein Ziel und führte die Truppen beider Parteien wieder in ihre Hauptquartiere zurück.

Bald aber ging es von neuem ins Feld, und gerade dieser Feldzug im Frühlinge des Jahres 1569 wurde für die Protestanten von besonderer Bedeutung. Am 13. März wurde nämlich bei Jarnac eine große Schlacht geschlagen, und in dieser fand das Haupt der Protestanten, der Prinz von Condé, seinen Tod. Sein Fall verbreitete Schrecken und Bestürzung, aber bald fand sich ein neues Oberhaupt. Die Königin Johanna von Navarra stellte zu Cognac dem Heere ihren sechszehnjährigen Sohn, den nachmaligen König Heinrich IV., vor, und dieser wurde einstimmig als Oberhaupt anerkannt. Der weise und tapfere Admiral Coligny aber führte, gleichsam als Vormund des jungen Prinzen, den Oberbefehl über die Armee und lenkte überhaupt das Ganze.

Harte, schreckliche und für beide Theile wenig

ehrenvolle Kämpfe bezeichnen dieses und das folgende Jahr. Die Protestanten wurden in denselben zwar nicht überwunden, doch war ihnen das Glück meist nicht günstig. Indeß zwangen sie doch ihre Gegner, Frieden zu schließen und ihnen völlig freie Uebung ihrer Religion zu gestatten. Dieser Friede kam im August 1570 zu Stande. Ruhe und Sicherheit schienen von da an für immer in Frankreich eingekehrt zu sein.

Herr von Sevre begab sich auf seine Güter, die südöstlich von der Stadt Nantes an dem Flüßchen Sevre lagen, welches dem Stammschlosse und der Familie den Namen gegeben. Paul Clignet lebte nun abwechselnd auf diesem Schlosse und in Renaud's Hause zu la Rochelle. Der wackere zwölfjährige Knabe war beiden Familien so lieb geworden, daß keine derselben ihre Ansprüche auf ihn aufgeben wollte. Er aber gefiel sich wohl am besten auf dem Schlosse des Hauptmannes, denn das Leben und Treiben in der freien Natur behagte ihm besser, als das in der festen und engen Stadt. Dort konnte er den Edelmann schon auf der Jagd begleiten, und der Fluß und die zahlreichen Fischteiche boten ihm Gelegenheit genug, jenes Lieblingsgeschäft wieder zu betreiben, das er bei dem Fischer Philipp an der Maas gelernt hatte. Ueberdies hatte Herr von Sevre einen Sohn, der nur zwei Jahre jünger war als Paul, und mit dem er eine wahrhaft brüderliche Freundschaft geschlossen hatte.

So vergingen zwei Jahre. In Beziehung auf unsern Paul ist aus diesem Zeitraume kaum etwas Bemerkenswerthes zu berichten. Sein Leben wäre in jeder Weise das angenehmste gewesen, hätte nicht der Gedanke an seine Aeltern und die Sehnsucht nach denselben seinen jugendlichen Frieden getrübt.

Was die Lage der Protestanten in Frankreich während dieser beiden Jahre betrifft, so war sie in jeder Weise befriedigend. Sie wurden ihres Glaubens wegen nicht mehr bedrückt und verfolgt, ihre Rechte wurden nicht geschmälert, es hatte vielmehr den Anschein, als wolle man an ihnen das früher begangene Unrecht wieder gut machen. König Karl IX. legte solch gnädige und freundliche Gesinnungen gegen sie an den Tag, und schien so aufrichtig eine völlige Aussöhnung mit denselben zu wünschen, daß er seine Schwester Margaretha mit dem Oberhaupte der Protestanten, dem jungen Heinrich von Navarra vermählen wollte. Auch suchte er die andern Häupter derselben an seinen Hof zu ziehen. Selbst der greise Admiral Coligny erschien daselbst und wurde überaus gnädig aufgenommen und äußerst freundlich behandelt.

Manche Protestanten waren zwar mißtrauisch und hielten diese außerordentlichen Gunstbezeugungen nur für eine Falle, in welche man sie locken wolle, andere aber glaubten fest daran, es sei dem Hofe aufrichtig um dauernden Frieden und um gänzliche Aussöhnung der Parteien zu thun. Unter die Zahl der letzteren gehörte auch Herr von Sevre. Er freute sich herzlich über den Segen des Friedens und glaubte, derselbe sei für immer befestigt, als die Heirath zwischen Heinrich von Navarra und Margarethe von Valois fest beschlossen war. Ganz vergnügt kam er eines Tages von einer kleinen Reise zurück, und sagte zu seiner Gemahlin: „Triff Anstalten zur Reise, wir gehen nach Paris. Die Vermählung des Prinzen Heinrich soll schon im August gefeiert werden, alles strömt nach der Hauptstadt, wir wollen auch nicht fehlen. Für unsern Glauben ist eine bessere Zeit angebrochen, wir wollen uns derselben freuen."

Frau von Sevre machte wohl einige Bemerkungen, aber ihr Mann wußte alle Bedenklichkeiten zu beseitigen. Die Anstalten zu der bevorstehenden Reise wurden getroffen, und schon in der zweiten Woche des Monats August verließ eine ansehnliche Reisegesellschaft das Schloß Sevre und zog dahin auf der Straße nach der Hauptstadt des Reiches. Und Paul? Er durfte nicht zurückbleiben, sondern neben seinem jungen Freunde, dem Sohne des Hauses, ritt der vierzehnjährige Knabe fröhlich dahin, den Kopf voll Erwartung aller der Herrlichkeiten, welche er in der Hauptstadt schauen sollte.

Achtes Kapitel.

Der Mordanschlag.

Mit ihrem Munde reden sie freundlich gegen den Nächsten, aber im Herzen lauern sie auf denselben. Jer. 9, 8.

In Paris ging es im August des Jahres 1572 wirklich hoch und herrlich her. Wenn auch die damalige Größe und Pracht der französischen Hauptstadt mit der heutigen nicht verglichen werden kann, so war sie doch schon sehr bedeutend, und Paul hatte nicht Augen genug, um alle die Herrlichkeiten zu betrachten. Der achtzehnte August aber war der Tag, an welchem so recht aller erdenkliche Glanz entfaltet wurde. Es war der Tag, an welchem die Vermählung Heinrichs von Navarra mit Margarethe von Valois, des Königs jüngster Schwester, gefeiert wurde. Die Menge des herbeigeströmten Volkes, der Fürsten und Edelleute war außerordentlich und der Jubel unbeschreiblich. Vornehmlich freuten sich die Protestanten, welche in großer Zahl nach der Hauptstadt gekommen waren und an eine aufrichtige Versöhnung zwischen den beiden Religionsparteien und an einen dauerhaften Frieden glaubten. Sie sahen ja, wie ihre Fürsten und Anführer von dem Könige Karl IX. und von dessen Mutter Katharina geehrt, wie sie sogar vor den Katholischen ausgezeichnet wurden. Es that ihnen sehr wohl, daß ihr vorzüglichster Mann, der alte Admiral Coligny, so besonders viel bei dem Könige galt, und sie bauten darauf die schönsten Hoffnungen für die Zukunft.

Auf diesen Admiral Coligny hatte unser Paul auch hier wieder sein vorzüglichstes Augenmerk gerichtet. Er schaute lieber nach dem greisen Haupte dieses Mannes, als nach dem Angesichte des jungen Königs von Frankreich. Der Admiral war dem Knaben noch ehr- und bewunderungswürdiger geworden, seit er wußte, daß dieser damit umging, nächstens ein Heer in die Niederlande zu führen, um Pauls Landsleuten und Glaubensgenossen gegen die schrecklichen Spanier beizustehen. Wo es also eine Gelegenheit gab, den weisen und tapfern Greis zu sehen, da fehlte Paul Clignet in diesen Tagen nicht. So folgte er demselben am vierten Tage nach der königlichen Hochzeit, als er ihn eben aus dem Louvre, dem damaligen Palaste der französischen Könige, kommen sah, und unverwandt waren seine Augen auf den Mann seiner Bewunderung geheftet. Das bemerkte der alte Admiral und der Knabe mit der kräftigen Gestalt, dem frischen Gesichte und den strahlenden Augen fiel ihm auf. Er kehrte sich nach ihm hin, winkte ihn zu sich heran und Paul trat mit klopfendem Herzen zu dem Helden.

„Wie heißt du, mein Sohn?“ fragte freundlich der Greis.

„Paul Clignet,“ antwortete der Knabe bescheiden und doch freimüthig.

„Wohnen deine Aeltern hier in der Stadt?“ fragte Coligny weiter.

Pauls strahlende Augen wurden trübe. „Edler Herr“, sagte er: „ob mein Vater und meine Mutter noch leben und wo sie jetzt sind, das weiß ich nicht. Mein Vater war reformirter Prediger zu Antwerpen, aber die Spanier haben ihn vertrieben. Er ist mit der ganzen Gemeinde nach Deutschland gezogen.“

„Und du?“ fragte der Admiral überrascht.

„Mich haben sie unterwegs in der Petershöhle verloren,“ versetzte der Knabe, und zwei große Thränen rannen über seine frischen Wangen herab.

„Erzähle mir dein Schicksal!“ sprach Coligny theilnehmend, und nun erzählte Paul alles, was ihm seit jenen Tagen der Angst widerfahren war, und was die Leser bereits wissen. Der alte Held wurde ordentlich gerührt durch die einfache Erzählung des Knaben, freute sich aber im Herzen über die männliche Festigkeit und standhafte Glaubenstreue desselben. Er legte ihm die Hand auf das Haupt und sagte: „Sei getrost, mein Sohn, ich will deiner gedenken. In Deutschland habe ich Freunde, und bei diesen will ich forschen, wo dein Vater hingekommen ist; ich helfe sorgen, daß du ihn wiederfindest.“ — Pauls Augen leuchteten bei diesen Worten ganz verklärt. — Der Admiral fuhr fort: „Vertraue nur auf Gott, und bleibe standhaft, er wird dich nicht ein Waise bleiben lassen. An Herrn von Sevre hast du unterdessen einen trefflichen Vater und Beschützer gefunden, und bald sollst du hören, daß auch deinen Landsleuten in Holland geholfen wird. Ich will mit einem Heere dahin ziehen, und, will's Gott, so sollen unsere Glaubensbrüder dort bald eben so ruhig und ungestört wohnen, als wir jetzt in Frankreich.“

„Lohn's Euch Gott, edler Herr!“ rief der Knabe ganz begeistert. „Ich habe schon davon gehört, daß Ihr meinem armen Vaterlande beistehen und den abscheulichen Alba verjagen wollet. O nehmet mich mit auf Eurem Zuge, ich kann schon das Feuerrohr und den Degen führen. Wenn dann der Alba mit seinen Spaniern fort ist, kommt mein Vater sicherlich wieder nach Antwerpen, und ich finde sie alle in der Heimath wieder.“

Coligny lächelte und sprach: „Kommt Zeit, kommt Rath! Ich will mit Herrn von Sevre davon sprechen, grüße — —“

Der Admiral konnte seinen Auftrag nicht beenden. Ein Schuß aus einem nahen Hause, offenbar auf sein Haupt gerichtet, traf seine im Gespräch erhobene rechte Hand und seinen linken Arm. Der Zeigefinger der Hand war zerschmettert, der linke Arm nicht unbedeutend verwundet. Der greise Held war zurückgetaumelt, faßte sich aber alsbald wieder, und zeigte nur mit der blutenden Hand nach dem Hause, aus welchem der Schuß gefallen war. Paul schrie laut auf vor Entsetzen. Eine Kugel war ihm am Kopfe vorbeigesaust, und doch hatte ihn dies nicht so entsetzt, als der Anblick des blutenden Feldherrn, den er anfangs für tödtlich getroffen hielt.

Schon auf den Schuß, dann auf das Geschrei des Knaben und der Umstehenden hatte sich alsbald eine große Menschenzahl auf der Straße gesammelt. Die Protestanten, die ihren berühmten Heerführer ohnehin nicht leicht aus den Augen ließen, waren schnell in Menge da. Sie waren wüthend über die meuchelmörderische Unthat mitten im tiefsten Frieden. Im Nu war das Haus erbrochen und gestürmt, aber vergeblich durchsuchte man alle Winkel desselben, der Meuchelmörder war und blieb verschwunden.

Paul rannte nach Hause und erzählte in athemloser Hast, was vorgefallen sei. Herr von Sevre eilte flugs zu der Stelle der Unthat und von dort in Coligny's Wohnung. Da fand er schon viele vornehme Herren versammelt. Alle waren sie aufs tiefste entrüstet, aber auch alle voll Besorgniß um die Sicherheit des Admirals und um ihre eigene. Sie redeten dem meuchelmörderisch verwundeten Helden zu, er möge Paris verlassen, und sie wollten es auch thun, weil ihren Feinden nicht zu trauen sei, obwohl sie den Frieden beschworen hätten. Aber Coligny war ein zu edler Mensch, als daß er hätte so argwöhnisch sein sollen. Er wollte nicht glauben, daß die Gegner überhaupt an der Frevelthat eines Einzelnen Theil und Schuld hätten. Auch glaubte er ja fest daran, daß der König keine Feindschaft mehr gegen ihn und gegen die Protestanten hege. Darin schien er wirklich recht zu haben. Denn siehe, nicht sehr lange nach dem bedenklichen Vorfalle erschien schon König Karl mit einem zahlreichen Gefolge von Hofleuten in der Wohnung des Admirals und sprach ihm sein großes Leidwesen über die verübte Unthat aus. Er schien so aufrichtig betrübt über die Verwundung des alten Helden, den er bei dieser Gelegenheit wiederholt mit dem Namen „mein Vater" beehrte, daß Coligny vollkommen von der wohlwollenden Gesinnung des Königs überzeugt blieb. Schwur ja doch der König hoch und theuer, daß er den Thäter exemplarisch bestrafen werde, sobald man ihn entdeckt habe. Warum hätte Coligny seinem Wort und Schwur nicht glauben sollen? Große und edeldenkende Seelen kennen das Mißtrauen nicht, und sind in dieser Beziehung oft viel weniger klug, als gewöhnliche Menschen.

Auch Herr von Sevre gehörte zur Klasse der edleren Seelen, obgleich es ihm nie einfiel, sich im entferntesten mit dem Admiral zu vergleichen. Er hätte es gern gesehen, wenn dieser sich von Paris entfernt hätte, und auch er hatte dazu gerathen; als er aber sah, daß das Haupt der protestantischen Partei blieb, dachte er am allerwenigsten ans Weggehen. Seine Gattin rieth zwar dazu, doch er war nicht zu bewegen. Er wollte sie und die beiden Knaben in die Heimath bringen, er selbst aber erklärte, er werde wenigstens so lange bleiben, bis der Admiral völlig wieder hergestellt sei. Paul, der bei dieser Unterredung zugegen war, erklärte sogleich, er wolle Herrn von Sevre nicht verlassen, und bat recht flehentlich, man möge ihm seinen Willen thun, selbst wenn Frau von Sevre mit ihrem Sohne auf ihr Schloß zurückkehre. Noch am nämlichen Abende sprach man wiederholt von der Sache, und der Hauptmann drang darauf, daß seine Gattin und sein Sohn morgen schon die Hauptstadt verlassen sollten. Beide widersetzten sich, aber er bestand darauf, und in guter Begleitung, nämlich mit einigen andern Familien, die denselben Weg einschlugen, zogen beide ab. Frau von Sevre war tief ergriffen und sagte noch im Augenblicke vor der Abreise: „Lieber Paul, verlaß meinen Mann nicht, wo du nur immer um ihn sein kannst. Du bist ein kluger und gewandter Junge, du kannst ihm vielleicht von Nutzen sein."

„Seid ruhig, gnädige Frau," gab Paul zur Antwort: „ich werde nicht von ihm weichen. Großmutter Cornelia aber würde sagen: Wir stehen in Gottes Hand, ohne dessen Willen kein Haar von unserm Haupte fällt."

Damit zog ein Theil jener fröhlichen Reisegesellschaft, von der am Schlusse des vorigen Kapitels die Rede war, nach der Heimath unter Thränen.

Neuntes Kapitel.

Die Bartholomäusnacht.

Plötzlich müssen die Leute sterben und zu Mitternacht erschrecken und vergehen; die Mächtigen werden kraftlos weggenommen. Hiob 32, 20.

Die Sonne des 24. Augusts war längst untergegangen, und selbst die Straßen der Hauptstadt, die gewöhnlich bis tief in die Nacht hinein belebt waren, lagen da wie ausgestorben. Es schien, als ob ganz Paris von den rauschenden Festlichkeiten der vergangenen Tage so abgespannt und ermüdet wäre, daß es sich einmal wieder durch längeren Schlaf erholen müsse. Unser Paul hatte zwar das nicht nöthig, aber doch war er frühzeitig zur Ruhe gegangen, und zwar ehe Herr von Sevre nach Hause gekommen war. Der Knabe schlief jedoch keinen ruhigen Schlaf, er träumte heute schwer, und rief plötzlich laut im Traume: „Ach! sie haben ihn gestochen!“ Sein Schrei war so laut, daß der alte Diener, der im Vorzimmer auf seinen Herrn wartete, mit der Lampe hereintrat und fragte: „Paul, was ist dir?“ Paul war über seinem eigenen Ausrufe völlig erwacht, und sagte: „Ach lieber Simon, ich habe nur geträumt, aber so lebhaft und so entsetzlich, daß ich meinte, es sei alles wirklich so zugegangen.“

„Was war's denn?“ fragte der alte Simon, der langjährige treue Diener des Hauses Sevre, ein Deutscher von Geburt.

„Mir träumte,“ sprach Paul: „es wäre ein großer Mann herein gekommen mit einem langen, langen Degen, der habe den alten Admiral durchstochen und zugleich den Herrn von Sevre mit, und die Degenspitze sei noch so weit durchgedrungen, daß sie mir fast bis an das Herz reichte. Da schrie ich laut und erwachte. Gott sei Dank, daß es nur ein Traum war!“

„Warte Paul,“ versetzte der alte Diener: „ich will dir einen Becher Wasser geben, das beruhigt dein Blut, und du magst dann ruhiger fortschlafen. Seit der Affaire mit dem alten Admiral bist du zu sehr aufgeregt und daher kommen deine bösen Träume.“

Simon reichte ihm wirklich einen Becher Wasser, Paul trank und wurde nun noch munterer als zuvor. Dann fragte er: „Schläfst der Herr Hauptmann schon?“

„Er ist noch nicht heimgekommen,“ erwiderte Simon: „aber es ist auch noch nicht spät.“

Paul richtete sich rasch im Bette auf, und sagte: „Simon, am Ende könnte ihm doch ein Unglück begegnen. Du weißt, ich habe der Frau von Sevre

7

versprochen, wo möglich immer um ihn zu sein, und jetzt schon habe ich meine Pflicht vergessen. Ich will hinaus und ihn aufsuchen." Mit diesen Worten war der Knabe schon aus dem Bette.

„Thörichter Junge!" sprach der Alte: „wohin willst du in der Nacht? wo meinst du den Herrn zu finden? Lege dich ruhig nieder, es ist ja draußen auf den Gassen so still und friedlich, was soll denn zu fürchten sein?"

Paul hatte indessen keine Ruhe. Er bat den Alten, er möge ihn nur gehen lassen, bald werde er wieder zurück sein. Simon konnte nicht widerstehen, ja es war ihm selbst unheimlich, er wußte nicht recht, warum. So ließ er denn den Knaben gehen, nachdem dieser ihm gesagt hatte, wo er Herrn von Sevre suchen wolle; jedoch nahm er ihm das Versprechen ab, recht bald wieder heim zu kommen. Aber einen Degen mußte Paul umschnallen, das that der sorgsame Diener nicht anders; und daß der Knabe diesen schon zu führen verstand, das wußt' er ja.

So trat Paul hinaus auf die Straße. Die warme Sommernacht war fast unheimlich stille; kaum ein Laut oder ein Tritt war in den Straßen zu hören. Flüchtigen Schrittes eilte der Knabe dahin. Er kannte das Haus eines der protestantischen Edelleute, bei welchem sich die andern bisweilen zu versammeln pflegten. Dahin lenkte er seinen Gang. Der Weg führte ihn an dem Louvre, dem königlichen Palaste, vorüber, und als fürchte er sich vor diesem Schlosse, drückte er sich tiefer in den Schatten der Gebäude, so daß keine Wache ihn konnte vorüber gehen sehen. Plötzlich blieb er überrascht stehen, denn er hörte ganz in der Nähe flüsternde Stimmen, und sah zwei Männer, gleich dunkeln Schatten, um eine nahe Ecke treten. So viel konnte er bald unterscheiden, daß sie vollständig bewaffnet waren. Da die beiden Männer jetzt stehen blieben, getraute sich Paul nicht, weiter zu gehen; er blieb regungslos an die Mauer gedrückt, und hörte da folgendes kurze Zwiegespräch.

„Noch ist kein Zeichen gegeben," sprach der eine: „und ich sehe noch kein Licht im Saale des großen Balkons. Es wird doch den König nicht reuen, er wird doch kein Mitleid mit den Ketzern bekommen haben."

„Glaube das nicht," versetzte der andere: „die Königin-Mutter wird schon dafür gesorgt haben, daß er nicht kalt wird. Sie haßt die Hugenotten so gründlich, daß sie an keine Schonung denkt."

Dem athemlos lauschenden Knaben wollte das Blut in den Adern stocken. Eine unsägliche Angst ergriff ihn, und doch durfte er es nicht wagen, seine Stelle zu verlassen. Horch! da tönte durch die Stille der Nacht der helle Ton einer Glocke. „Das ist's!" riefen die beiden Bewaffneten zugleich, und rannten eilend davon. Mit gleicher Eile floh der entsetzte Paul. Er erreichte

7*

das Haus, das er suchte, stürzte hinein und schrie mit gellender Stimme: „Herr von Sevre, wir werden alle ermordet!“ Unter den versammelten Edelleuten entstand auf diesen Ruf ein großer Tumult. Paul berichtete seinem väterlichen Freunde in athemloser Hast, was er in der Nähe des königlichen Palastes gehört, und wie die Glocke schon das Zeichen gegeben habe. Da war nun von keiner Berathung, von keinem Plane zur Vertheidigung die Rede. Alle Anwesenden stürzten hinaus, Herr von Sevre mit dem Rufe: „Gott schütze den Admiral! fort zu ihm!“ Der Knabe drängte sich dicht an ihn, entschlossen, nicht von seiner Seite zu weichen.

Draußen scholl ihnen schon von weitem lautes Getümmel entgegen, und zwar gerade von der Seite her, wo der Admiral Coligny wohnte. Pechfackeln brannten da und dort vor den Häusern, Flintenschüsse hörte man näher und ferner. Keinen Augenblick konnte man mehr im Zweifel sein, daß die Protestanten zu viel getraut hatten und daß es von Seiten der Feinde auf ihre Vernichtung abgesehen sei. Die Edelleute, die nach Coligny's Wohnung eilten, fanden die Straße mit Ketten gesperrt, sie sahen im Fackelscheine die weißen Armbinden und Kreuze, durch welche sich ihre Gegner kenntlich gemacht hatten. Mit Entsetzen wurden sie gewahr, daß es nicht bloß der Freiheit oder dem Leben eines Einzelnen galt, sondern auf alle Protestanten abgesehen war. Vor ihren Augen wurden viele niedergeschossen und zusammengehauen, sobald sie, vom Schlafe aufgeschreckt, nur ihre Häuser öffneten.

Keine Gefahr achtend, stürmte Herr von Sevre vorwärts. Ihm auf dem Fuße folgten die entschlossensten seiner Begleiter. Mit dem Muthe der Verzweiflung brachen sie sich Bahn durch die meuchelmörderische Rotte, welche sich eben durch das offene Thor in das Haus des Admirals stürzte. Das Leben ihres greisen Anführers zu retten, das mußte vor allem ihre Sorge sein. Aber bald sollten sie einsehen, daß sie wohl mit ihm sterben, nicht aber ihn retten konnten.

Die feindliche Partei hatte in der Stille ihre Anordnungen zu gut getroffen, und ihre Uebermacht war für eine Hand voll auch der muthigsten Streiter viel zu groß. Die wenigen nur unvollständig bewaffneten Protestanten fielen unter den Schüssen und Schwertstreichen der zum Morde wohl vorbereiteten und bewaffneten Gegner, freilich nicht, ohne ihr Leben theuer zu verkaufen. Nur Herrn von Sevre und einem andern hugenottischen Edelmanne gelang es, in das Haus des Admirals vorzudringen, und Paul war noch an seiner Seite. Doch auch in den Räumen dieser Wohnung des alten Helden wüthete bereits der Mord. Die Thorwächter waren schon unter den Streichen der Mörder gefallen, andere hatten sich vor der rasenden Menge, die im Namen des Königs hereinbrach, verkrochen, wieder andere waren in die Vorzimmer des Admirals gestürzt, um vielleicht sich und ihn noch zu retten. Aber die wüthenden Feinde erreichten sie schnell und Coligny hörte, wie sie vor der Thüre seines Schlafgemaches niedergemetzelt wurden.

Der verwundete Held hatte sich aus dem ersten Schlafe aufgerafft, und als die Thüre seines Schlafzimmers mit Gewalt aufgerissen war, sah man ihn betend an die Wand gelehnt, unfähig sich zu vertheidigen. Wie die große, heilige Sache, für die er so lange gefochten, so befahl er jetzt seine Seele in Gottes Hand. Drei Obersten drangen zuerst hinein, unter ihnen auch ein deutscher Diener des Herzogs von Guise Namens Behm oder Besme, wie die Franzosen schreiben. „Bist du Coligny?“ schrie dieser mit gezücktem Schwerte. „Ich bins,“ antwortete mit fester Stimme der Greis: „aber du, junger Mensch, solltest Achtung haben vor meinem grauen Haupt und meinem hilflosen Zustande. Doch du wirst freilich meinem Leben nichts abkürzen.“ Die Antwort war ein gottloser Fluch und ein Stoß mit dem Schwerte, und durchbohrt sank das edle Haupt der französischen Protestanten zusammen.

Herr von Sevre sah von ferne, was geschah. Außer sich drang er vorwärts. Rechts und links warf er nieder, wer ihm im Wege war. Doch wie vermochte ein einzelner Mann durch diese dichte Mörderschar bis zu dem sterbenden Helden zu dringen? Behms Schwert zerhieb schon Coligny's ehrwürdige Züge, ehe Sevre das Gemach erreicht hatte. Und hier traf auch diesen der Todesstreich von anderer Hand. Unser Paul, der nicht von ihm gewichen war, sah ein Schwert über ihm gezückt. Er schrie laut und schlug mit dem Degen nach der Hand, die es führte. „Ha, junge Ketzerbrut!“ knirschte ein anderer, und während Pauls Wohlthäter von einigen Stichen und Hieben getroffen zusammensank, stürzte auch der Knabe, von einem Schwertstreiche getroffen, unter die Füße der mordgierigen Schaar. Er hatte das Versprechen, welches er der Frau von Sevre gegeben, treulich gehalten bis in den Tod. —

Der Zweck dieser Erzählung ist es nicht, die ferneren Gräuel zu schildern, welche jene Bartholomäusnacht zur entsetzlichsten in der Weltgeschichte gemacht haben. Wer sie kennen lernen will, lese die Geschichte jener blutigen Tage überhaupt, und die zahlreichen Schilderungen jener schrecklichen Nacht, in welcher die arglosen Protestanten aus dem Schlaf erwachten, um jählings in den Tod zu stürzen. Und wer es sieht, wie im Namen Gottes Treulosigkeit und schändlicher Verrath und Mord geübt wurden, wie politischer und religiöser Haß selbst einen König zu solchem Wahnsinne trieb, daß er vom Balkon seines Schlosses auf seine wehrlosen Unterthanen schoß, weil sie nicht seinen Glauben hatten;

wer im Geiste den ungeheuren Blutstrom fließen sieht, der sich in jener Nacht durch die Straßen von Paris und in den folgenden Tagen durch die Provinzen Frankreichs wälzte, der bete: Herr Gott, laß nimmer zu, daß der Glaube zum Deckmantel weltlicher Leidenschaften werde, bewahre die Welt vor finsterm Glaubenshasse und vor allen religiösen Kämpfen, die mit andern Waffen geführt werden, als mit dem Schwerte des Geistes, welches ist dein Wort!

Ende des ersten Theiles.

Glaubenstreue

oder

Die Wallonen in der Pfalz.

Erzählung für die Jugend und das Volk

von

Friedrich Blaul,

Verfasser von „Robert Plank", „die Rache", „Azza", „der Stiefsohn" ꝛc.

Zweiter Theil.

Speyer.

F. C. Neidhard's Buchhandlung.

Erstes Kapitel.

Die neue Heimath.

Kann auch ein Weib ihres Kindleins vergessen? Jes. 49, 15.

Zwei Stunden nordöstlich von Heidelberg, in einem abgelegenen aber anmuthigen Wiesenthale, welches sich gegen den nahen Neckar hinabsenkt, dem es einen klaren Bach zusendet, liegt der Flecken Schönau. Vor der Zeit, in welche unsere Geschichte fällt, stand in der Einsamkeit dieses Thales nur ein großes, weit berühmtes Cisterzienser-Kloster, von dem heutzutage noch einzelne Reste vorhanden sind, und dessen altes Kapitelshaus schon seit mehr als hundert Jahren zur Kirche dient, weil die Klosterkirche in Kriegszeiten zerstört worden ist. In den Räumen dieses zu jener Zeit ganz wohl erhaltenen Klosters und in den um dasselbe neu aufgebauten Häusern finden wir den Pfarrer Clignet und seine Gemeinde wieder.

Daß Clignets Nachforschungen nach seinem Sohne vergeblich sein mußten, wissen wir bereits. Tief gebeugt war der arme Vater nach all seinen fruchtlosen Bemühungen seiner Familie und deren Begleitern nachgefolgt, nicht ohne Gefahr für sein eigenes Leben. Welch ein Jammer, als er sie in der Gegend von Aachen erreichte! Wir wollen davon keine weitere Schilderung entwerfen. Nur das muß gesagt werden, daß allein das weissagende Wort der alten, glaubensstarken Mutter Cornelia die betrübten Gemüther vor dem völligen Verzagen bewahrte. Die ehrwürdige Greisin sagte nämlich unaufhörlich, Paul sei sicherlich nicht todt und der Herr werde ihnen denselben eines Tages wieder schenken. „Ja, im ewigen Leben!“ sagte die Pfarrerin unter strömenden Thränen und so leise, daß niemand es hören konnte. Die arme Mutter war offenbar durch diesen Schlag am härtesten getroffen. Sie glich einer zerknickten Blume. Still, ohne laute Klage, aber mit gebrochenem Herzen zog sie mit der kleinen Gemeinde dahin.

Unter mancherlei Beschwerden und Fährlichkeiten kam damals die Caravane nach Frankfurt am Main und fand dort zunächst nothdürftige Aufnahme. Nach und nach langten auch die andern Glieder der Gemeinde von Antwerpen an. Clignet sah indeß bald, daß ihres Bleibens in Frankfurt nicht sein könne und richtete deßhalb sein Augenmerk auf die Pfalz, wohin schon seit dem Jahre 1562 einige Abtheilungen niederländischer Flüchtlinge von Frankfurt aus gegangen waren, weil ihnen Kurfürst Friedrich III., der sich der Reformirten freundlich annahm, die Klöster Frankenthal und Schönau als Zufluchtsstätten angeboten hatte. So war der Prediger Dathen mit einer Schaar nach Frankenthal gezogen, eine andere hatte sich nach Schönau gewendet, wo sie bald an dem ebenfalls aus den Niederlanden nach Heidelberg geflohenen, rühmlich bekannten Gelehrten Franz Junius oder du Jon von Bourges einen Prediger erhalten hatte.

Kurfürst Friedrich, der neben seiner Vorliebe für die Reformirten auch daran seine Freude hatte, daß sein Land an den glaubenstreuen Flüchtlingen auch fleißige und geschickte Arbeiter, besonders Tuchmacher, gewann, war gern bereit, auch Clignet und seine Gemeinde in seinem Lande aufzunehmen, doch dauerte es einige Zeit, bis sich ein Wohnsitz finden ließ, wo sie ungetrennt zusammen leben konnten. Da machte eine gräuliche Pest in Schönau Platz. Fast die ganze Gemeinde starb aus oder floh aus dem stillen Thale und der Prediger Junius, der nun keine Gemeinde mehr hatte, wurde einstweilen vom Kurfürsten in das Lager des Prinzen von Oranien geschickt und Clignet zog mit seinen Wallonen in den fast ganz verödeten Ort.

In Schönau schien also unsere kleine wallonische Gemeinde eine feste Heimath gefunden zu haben. So recht heimisch fühlte sie sich besonders nach der Zeit, als Kurfürst Friedrich III. die Wittwe des bekannten niederländischen Grafen Brederode geheirathet hatte. Denn die Kurfürstin nahm sich ihrer Landsleute und Schicksalsgenossen recht freundlich und thätig an. Clignet stand bei ihr und ihrem Gemahle sehr in Gunst, kam nicht selten auf das Schloß zu Heidelberg, wenn er irgend ein Anliegen hatte, und ging nie unerhört von dort weg. Acht Jahre lang lebten die Verbannten in dieser ihrer neuen Heimath glücklich dahin und Gottes Segen war auch im Zeitlichen mit ihnen. Von den durch die Pest vertriebenen früheren Ansiedlern waren einzelne zurückgekehrt, neue Flüchtlinge waren hinzugekommen. Auch der Prediger Junius war wieder gekommen, aber schon im Jahre 1573 vom Kurfürsten nach Heidelberg berufen worden, um mit dem gelehrten Immanuel Tremellius das alte Testament zu übersetzen.

Da trat plötzlich eine große Veränderung ein. Am 26. October 1576 starb der Kurfürst, und sein Sohn Ludwig VI. kam von Amberg nach Heidelberg, um die Regierung zu übernehmen. Ludwig war bei der früher in der Pfalz eingeführten lutherischen Lehre geblieben, und seine Gemahlin Elisabeth, eine Landgräfin von Hessen, war eine noch viel eifrigere Bekennerin des lutherischen Glaubens, als er selbst. Sie benutzte auch ihren ganzen Einfluß auf ihn, und reizte ihn vorzüglich an, die Lehre der Reformirten in der Pfalz zu unterdrücken. Diese mußten auch gar bald die Wirkung dieses Religionseifers erfahren.

O es war eine betrübte Zeit! Während die evangelische Kirche hätte recht einig sein sollen, um innerlich und äußerlich stark zu werden, trennte sie sich selbst um einzelner Lehrsätze willen in zwei verschiedene Kirchen. Und diese beiden Kirchen haßten und verfolgten sich gegenseitig aufs bitterste. Wo man die evangelische Glaubensfreiheit hätte achten sollen, da wendeten die Machthaber Gewalt an, um alle Andersdenkenden zu ihrem eigenen Glauben zu zwingen.

Clignet mit seiner Familie und mit seiner Gemeinde sollte noch einmal eine harte Zeit erleben, ähnlich der, welche sie in Antwerpen und anderwärts erlebt hatten.

Der Kurfürst war nach Amberg in die Oberpfalz zurückgegangen, um die Angelegenheiten jener Provinz zu ordnen. Mittlerweile kam es in der Pfalz am Rhein zu einzelnen Reibungen zwischen Lutheranern und Reformirten. Als hierauf der Kurfürst wieder nach Heidelberg kam, begann er die Einführung der lutherischen Lehre mit größerer Strenge, als zuvor. Am 20. April 1577 ließ er die reformirten Prediger von Heidelberg vor sich bescheiden, und gab ihnen den Abschied. Nur auf kurze Zeit sollten sie noch geduldet werden und eine Kirche inne haben. An allen Kirchen sollten nach und nach, und zwar so bald als möglich, Geistliche der lutherischen Confession angestellt werden. Statt der reformirten Theologen wurden an der Universität lutherische eingesetzt. Selbst hohe Würdenträger am kurfürstlichen Hofe erhielten ihre Entlassung, weil sie ihren Glauben nicht ändern wollten. Reformirte Bücher durften gar nicht mehr gedruckt und verkauft werden. Nach dem Volke aber fragte man wenig oder gar nicht. Man setzte voraus, daß es die Religion des Landesherren annehmen werde, und wo der freie Wille nicht eintrat, sollte Zwang nachhelfen.

So standen die Dinge, als der Herbst des Jahres 1577 gekommen war.

Es war ein freundlicher, warmer Octobertag, einer von den sonnigen Herbsttagen, die der Himmel bisweilen noch der Erde schenkt, um sie zu entschädigen für die trüben Tage und die stürmischen Nächte, die ihr den ganzen Schmuck rauben, den sie bisher getragen. Die Sonne stand noch über den waldigen Höhen, welche das Wiesenthal umkränzen, in dem Schönau liegt. Die Fäden des fliegenden Sommers hatten die Erde übersponnen und flogen in der Luft, die Vögel sangen noch einmal ihre fröhlichsten Lieder, und auf den Feldern rührten sich hundert geschäftige Hände, um die letzten Arbeiten des Jahres auf denselben abzuthun. Das Thor zu einem der Höfe des Klosters stand offen, und wer vorüberging konnte hineinschauen in den weiten Raum der mit Rasen bewachsen war, und in dem sich auf der einen Seite ein schmales Gärtchen längs der Mauer des Gebäudes hinzog. Es war ein recht freundlicher, stiller Platz, von dem man nur durch das offene Thor hinaus auf das Feld und die Landstraße und auf einige Häuser des neu entstandenen Fleckens schauen konnte. In diesem Hofe saß Mutter Cornelia in ihrem Lehnstuhle an einer Stelle, wo die Sonne am wärmsten schien. In ihrer Nähe waren Elisabeth und ihre Pflegetochter Marie beschäftigt.

Zehn Jahre waren seit dem Auszuge aus Antwerpen über die Häupter dieser drei Menschen hingegangen, und zwar zehn Jahre voll schwerer Prüfungen. Sie hatten bedeutende Veränderungen an ihnen hervorgebracht, die auffallendsten an der guten Pfarrfrau. Die harten Heimsuchungen, vor allem aber die schwere Prüfung, welche der Herr dem Mutterherzen auferlegt hatte, waren nicht ohne Einfluß auf Elisabeths Aeußeres geblieben. Ihr Haar war merklich grau geworden, auf den sanften Zügen ihres Gesichtes zeigte sich der stille aber nagende Kummer, und selbst ihre Gestalt war schon einigermaßen gebeugt, ja gebrochen. Auch Cornelia war noch mehr gealtert. Das Haar, das unter ihrer Haube hervorsah, war weiß wie Schnee, das Licht ihrer Augen völlig erloschen, und nicht einmal der schwächste Schimmer drang mehr durch diese Nacht. Aber je tiefer das Dunkel um sie her geworden war, desto heller leuchtete das Licht ihres Geistes. Ihre starke, gläubige Seele prägte sich noch immer auf dem schönen alten Greisen-Angesichte aus. Noch immer war es ihr Muth und ihre Glaubensstärke, an welchen sich die einzelne Familie aufrichtete und die Gemeinde erbaute. Sie war gleichsam das lebendige Beispiel zu den kräftigen Predigten ihres wackern Sohnes.

Marie, die dritte Person in dem liebenswürdigen Kleeblatte, hatte sich in anderer Weise verändert. Das kleine Mädchen war zur achtzehnjährigen Jungfrau herangeblüht, und so tief sie allen Kummer der Familie

8

mitgefühlt hatte, so behielt doch die Frische und Kraft der Jugend ihr Recht. Marie war das Bild eines gesunden und hübschen Mädchens geworden. Sie war die Freude und der Trost Clignets und seiner gebeugten Gattin; sie mußte der Familie den verlorenen Paul ersetzen. Und so weit ihr das nur möglich war, ersetzte sie den Sohn. Niemals ließ sie es an Liebe und Gehorsam gegen die Pflegeältern und die Großmutter fehlen, stets war sie heiter und freundlich und manche trübe Stunde ward in dem Pfarrhause durch sie erhellt.

Heute, wo sie mit den beiden Frauen in dem Hofe des Klosters verweilte, schien sie nicht ganz so heiter, wie sonst. In ihrem ganzen Wesen zeigte sich Spannung und Unruhe, ängstlich blickte sie zuweilen auf ihre gute Pflegemutter. Diese näherte sich öfters dem offenen Thore, schaute forschend hinaus, und so oft sie zurückkehrte, war ihr Auge von einer Thräne umflort, welche sie nur mit Mühe zurückdrängte. Nur auf Cornelias ruhigen Zügen bemerkte man keine Unruhe, keine Bewegung.

„Kinder,“ sagte die Großmutter: „rücket meinen Stuhl der Sonne nach. Ich fühle ihre Strahlen nicht mehr, die Stelle an der ich sitze, scheint schon im Schatten zu liegen, wenn nicht etwa eine Wolke vor der Sonne schwebt.“

„Verzeih', liebe Großmutter,“ sagte Marie: „ich hätte besser darauf achten sollen. Der Schatten der Mauern hat sich wirklich bis zu dir verlängert, aber gleich daneben ist es noch recht lieblich warm." Damit griff sie an, und Elisabeth half ihr die Großmutter mit dem Lehnstuhle einige Schritte weiter tragen. Dort saß nun die greise Frau nahe an der Mauer des Klosters, welche die Sonnenstrahlen zurückwarf. Sie erhob das schöne Greisenhaupt, als wollte sie in die Sonne blicken, aber ihr Auge zuckte nicht vor den blendenden Strahlen zusammen, es schloß sich nicht, es fühlte ja nur die belebende Wärme, aber nicht den blendenden Glanz der Sonne.

„O wie wohl thut das!" rief sie aus. „Ja, ja, der Mensch braucht Sonne. Das Leben muß Licht und Wärme haben, sonst ist es ganz öde und unerträglich. Wo sie beide fehlen, da ist der Tod. Der Sonne muß man nachrücken, um lebendig zu bleiben. Und die ewige Sonne ist Gott der Herr. Von ihm kommt alles Licht und alles Leben, ihm müssen wir nachgehen, auch wo er sich uns zu entziehen scheint, von dieser Gnadensonne müssen wir uns erleuchten und erwärmen lassen, dann bleiben wir sicherlich erhalten für dieses und für das ewige Leben."

Cornelia hatte diese Worte vor sich hingesagt, als rede sie nur mit sich selbst. In diesem Augenblicke zog eine kleine Wolke an der Sonne vorüber. Cornelia fühlte den Schatten, den die Wolke auf sie warf, und schwieg. Als aber der warme Strahl der Sonne ihr Antlitz wieder traf, fuhr sie fort: „Elisabeth, Marie, habt ihr gesehen, wie eben eine Wolke die Sonne ver-

8*

düsterte und uns die Wärme derselben entzog? Ich habe es nur gefühlt, ihr habt es gesehen. Siehe, so scheint oft der Herr seine Gnade und Erbarmung uns entzogen zu haben, wenn die Wolken der Trübsal über unsern Häuptern stehen, aber die Sonne kommt doch wieder, der Herr erfreut uns wieder nach Trübsal und Anfechtung; er läßt uns eine kleine Zeit verlassen sein, aber mit Ehre und Schmuck wird er uns krönen."

„Liebe Mutter," sprach die Pfarrerin: „ er wolle uns führen, wie es ihm wohlgefällt. Härter kann uns ja seine Hand nicht mehr schlagen, als sie es schon gethan. Wenn ich aber da hinübersehe auf die hübschen neuen Häuschen, wenn ich daran denke, welche große Unruhe noch über die kommen kann, welche sie bisher im Frieden bewohnten, dann werde ich tief betrübt."

„Sei zufrieden, meine Tochter," entgegnete Cornelia: „dein Mann bringt vielleicht bessere Nachrichten, als wir zu hoffen wagen. Der Herr lenkt ja die Herzen der Könige wie Wasserbäche und neiget sie, wohin er will; er wird wohl auch das Herz des edlen Kurfürsten lenken, daß er uns ferner nicht mehr in unserm Glauben beirret und seinen Schutz nicht entzieht."

Die Großmutter hatte noch nicht ganz ausgeredet, als Marie, die durch das Thor geblickt hatte, freudig ausrief: „Der Vater, der Vater!"

Elisabeth eilte vor das Hofthor und begrüßte ihren Gatten. Er küßte sie freundlich, reichte dem Mädchen die Hand und trat sodann zu seiner Mutter, um auch sie mit der gewohnten Ehrerbietung zu begrüßen.

„Gott sei Dank, daß du wieder bei uns bist, mein Sohn," sprach Cornelia. „Doch wir sind gespannt auf die Nachrichten, welche du mitbringst. Gott gebe, daß es gute sind! Erzähle, mein Sohn!"

„Wollte Gott, ich könnte bessere Botschaft bringen, als ich zu berichten habe," versetzte der Pfarrer. „Es stehen uns nicht die besten Tage bevor. Ich habe schon in Heidelberg erfahren, daß achtzig reformirte Geistliche aus den Oberämtern Alzey und Oppenheim am zehnten October ihr Glaubensbekenntniß übergeben und um geneigtes Gehör gebeten haben, heute hörte ich wieder, daß sie nichts ausgerichtet. Es bleibt dabei, alle reformirten Prediger, die nicht lutherisch werden wollen, müssen das Land räumen."

„Und ihre Gemeinden?" fragte die Großmutter.

„Die wird man wohl zwingen, die lutherische Lehre anzunehmen. Sie werden denen folgen müssen, die im Regimente sitzen."

„O Gott! was soll aus uns noch werden?" seufzte Elisabeth.

„Was Gott will!" erwiderte Clignet rasch, indem er seines Weibes Hand ergriff. „Elisabeth, wir sind Gäste und Pilgrime hienieden, aber doch beides, Gottes Pilger und Gottes Bürger. Er wird ja wieder für die Seinen sorgen. Schon hört man, daß in der Schweiz

Sammlungen veranstaltet werden, um die Geistlichen und Lehrer zu unterstützen, wenn der Kurfürst sie vertreibt. Auch hat die reformirte Kirche noch einen anderen Beschützer an dem Bruder des Kurfürsten, dem Pfalzgrafen Casimir, dem die Oberämter Lautern und Neustadt gehören. Viele meiner Amtsbrüder setzen ihr Vertrauen nächst Gott auf ihn."

„Das ist doch ein Jammer, lieber Vater," sagte Marie: „daß die Menschen einander um des Glaubens willen so hassen und verfolgen. Könnte denn nicht jeder seines Glaubens leben und doch friedlich und einträchtig neben seinem Bruder wohnen?"

„Du hast Recht, mein Kind," antwortete der Pfarrer: „es könnte und es sollte wohl so sein, besonders unter denen, die ja denselben Gott und Heiland anbeten. Es ist hier nicht einmal ein Haß um des Glaubens sondern nur um einzelner Lehren willen. Wenn auch jeder die Lehren seiner Kirche für die besten und mit Gottes Wort übereinstimmendsten hält und halten muß, so brauchte er doch darum nicht seinen Nebenmenschen zu hassen und zu verfolgen. Er kann wünschen, daß auch die andern seines Glaubens wären, er kann beten, daß sie es werden möchten, aber zwingen sollte er sie nicht, weder durch Drangsal, noch gar durch Schwert und Feuer. Der Herr Jesus will nicht, daß die, welche seinen Namen bekennen, solche Waffen gegen die Ungläubigen führen, geschweige denn gegen einander selbst. Doch es ist nun einmal eine

Zeit des Kampfes, und wer weiß, wie lange dieser noch dauern wird! Wir sind, nach Gottes Rathschluß, gerade in diese Zeit des Kampfes gefallen und müssen nun muthig und unverzagt kämpfen und tragen und leiden."

„Ja, wir sind zum Leiden gemacht," sagte die Pfarrerin in wehmüthigem Ton: „und gern wollte ich alles tragen, was um unsers theuren Glaubens willen noch über uns kommt, wenn nur — —"

„Elisabeth," unterbrach sie Elignet schmerzlich bewegt: „ich weiß, was du sagen willst. Wenn der Herr uns unsern Sohn gelassen hätte, dann wolltest du gern tragen und leiden."

„Nein Elignet," entgegnete Elisabeth: „ich wollte nicht sagen, wenn er ihn uns gelassen hätte. Paul war sein Gnadengeschenk, er hätte es wieder nehmen können, und ich hätte ihn gepriesen, aber daß er so von uns kam, daß ich nicht einmal weiß, ob er lebt oder todt ist, das kann ich nicht verschmerzen, das ist es, was mein innerstes Leben verzehrt."

„Liebes Weib," sagte Elignet: „wir müssen auch tragen und leiden, freudig leiden können, wenn der Herr uns das härteste auferlegt. So tief ich über den Verlust meines Kindes trauere, so schmerzlich es mir ist, daß ich bis auf diese Stunde noch nichts über den verschwundenen Paul erfahren konnte, so wiederhole ich doch, was ich so oft sage: Er ist lebend oder todt in Gottes Hand.

Ich glaube, Paul ist droben bei ihm, und keine Qual rührt ihn an."

„Und mir ist immer, als ob er noch lebe," sprach die Großmutter. „Ich meine immer noch, ich werde ihn wieder in meine Arme schließen, ehe ich sterbe. Wie es aber auch sei und kommen möge, Elisabeth, hüte dich nur, daß dein Schmerz nicht sündlich werde."

Das Gespräch der Pfarrerfamilie wurde in diesem Augenblicke durch den Hufschlag mehrer Pferde unterbrochen, und als Clignet das Gesicht nach dem offenen Hofthor wandte, sah er einen stattlichen Herren im Jagdkleide zum Thore hereinreiten. Auf den ersten Blick erkannte der Pfarrer den Kurfürsten, und beeilte sich, denselben mit einer tiefen Verbeugung zu begrüßen. Ludwig ritt herein bis in die Mitte des Hofes, ihm folgten einige Herren des Jagdgefolges und die Büchsenspanner hielten draußen vor dem Thore. Der Kurfürst sah sich um, als wolle er das alterthümliche Klostergebäude betrachten, dann warf er einen Blick auf die drei Frauenzimmer und fragte endlich Clignet in französischer Sprache: „Ihr seid wohl der Prediger der Wallonen?"

„Euer kurfürstlichen Gnaden zu dienen," antwortete Clignet.

„Wie lange seid Ihr hier?"

„Vor neun Jahren," sagte der Pfarrer: „nahm uns Euer Gnaden in Gott ruhender Herr Vater in dieses stille Thal auf. Seit dieser Zeit haben wir hier friedlich gewohnt und mit stillem Wesen gearbeitet."

Der Kurfürst wandte sich gegen die beiden Herren, welche einen Schritt hinter ihm hielten, und sagte: „Ja sie sind fleißig diese Niederländer und Franzosen. Es ist das erstemal, daß wir in dieses Thal kommen, und wir müssen erstaunen über die hübschen Häuser, die sie hier gebaut haben. Unsere pfälzischen Unterthanen können etwas lernen von diesen Fremden."

„Es ist nur schade, daß sie den calvinistischen Irrlehren zugethan sind," versetzte einer der angeredeten Herren.

Der Kurfürst nickte, wendete sich wieder zu dem Geistlichen und sagte: „Herr Prediger, habt Ihr schon gehört, welche Befehle Wir in Sachen der Religion und Kirche haben ausgehen lassen?"

„Ja, Ew. Gnaden, ich habe davon gehört," antwortete Elignet.

„Und was gedenket Ihr zu thun?"

„Herr Kurfürst", sagte Elignet freimüthig: „ich gedenke mit Gottes Hilfe bei meinem Glauben zu bleiben. Ich habe um meines Glaubens willen mein Vaterland verlassen und viel Leid getragen. Meine Seele hat in diesem Glauben ihren Trost und ihren Frieden gefunden, und ich lebe der festen Hoffnung, daß ich um Christi willen in diesem Glauben selig sterben werde."

„Herr Prediger," sprach der Kurfürst: „wir sind nicht gesonnen, einen theologischen Disput mit Euch zu führen. Es ist unser fürstlicher Wille, daß in den pfälzischen Landen nicht mehr calvinisch gepredigt und gelehrt werde, sondern daß man das Evangelium verkünde und die Sakramente verwalte nach der reinen Lehre der lutherischen Confession. Jeder Geistliche, der sich diesem Willen nicht fügen mag, hat das Land zu räumen."

„Gnädigster Herr," versetzte der Geistliche: „Euer Wille ist Gesetz in Euerm Lande, und wir Unterthanen müssen uns unterwerfen. Meinen Glauben kann ich, wie gesagt, nicht wechseln wie ein Kleid, das man auszieht, um ein anderes anzulegen. Ich halte die calvinische Lehre für die, welche mit Gottes Wort übereinstimmt, und nicht ich allein, sondern viel Tausende leben und sterben darauf — —"

„Sie sind alle im Irrthum befangen," unterbrach ihn der Kurfürst rasch.

Bescheiden, aber fest, erwiderte Clignet: „Ich unterfange mich nicht, mit Ew. kurfürstlichen Gnaden darüber zu streiten. Auf welcher Seite in dem gegenwärtigen Streite das Recht oder das Unrecht liege, das weiß, wie ich meine, nur Gott der Herr, der allein sich nicht irren kann. Ich verdamme und verketzere niemanden, nicht einmal die Anhänger des Papstes, die mir und viel Tausenden so wehe gethan haben. Euer seliger Herr Vater war ein frommer Herr, der gewiß selig gestorben ist, und er war ein treuer Anhänger der reformirten Kirche."

Der Kurfürst war betroffen ob dieser Antwort. Er schwieg, aber der von seinen beiden Begleitern, welcher vorhin das Wort genommen hatte, biß sich auf die Lippen und sagte dann: „Der Herr Prediger wird zu dreist."

„Das bin ich nicht, edler Herr," versetzte Clignet: „aber ich bin ein Mann, dessen Amt von ihm fordert, daß er weder lüge noch heuchle." Nach diesen Worten wendete er sich wieder gegen den Kurfürsten und sagte mit weicher, fast bittender Stimme: „Gnädigster Herr! Wäre es denn nicht möglich, daß die beiden evangelischen Confessionsverwandten in Frieden neben einander in Euerm Lande wohnten, wie es Christen geziemt? Wollt Ihr uns wirklich um unsers Glaubens willen ins Elend jagen? Die Welt nennt Euch einen strengen, aber auch einen frommen, gerechten und gütigen Herrn, o seid auch uns, die in der Auffassung der heiligen Schrift nur in einigen wenigen Punkten von Euch verschieden denken, seid auch uns ein gerechter, ein gütiger Herr. O thut nicht wie der grausame König von Spanien an den Besten des niederländischen Volkes gethan; stellet Euch nicht in die Reihe mit dem katholischen Könige von Frankreich, der seine Unterthanen vertrieben und ihr Blut in Strömen vergossen hat, weil sie nicht glauben wollten und konnten, wie er glaubte. O zwinget Eure Unterthanen nicht, ihren Glauben zu ändern; verjagt uns arme Diener des Wortes Gottes nicht aus Euerm Lande; lasset mich in diesem stillen Thale friedlich wohnen mit meiner Gemeinde. Sie ist von einem harten Herrn vertrieben worden, ein milder hat sie aufgenommen; sie hat alles verlassen, nur um ihren theueren Glauben zu behalten, o wollet Ihr denselben nicht entreißen! Wir werden nicht Zank und Streit beginnen in Euerm Lande, sondern ruhig unserm Berufe nachgehen und Euch und Euer Haus in unsern Gebeten segnen."

Der Kurfürst schien mit sich selbst zu kämpfen. „Es geht nicht," sprach er nach einiger Zeit: „ich kann nicht dulden, daß so verschiedene Lehre in meinen Landen gepredigt werde. Darum habe ich den Befehl erlassen, daß die Prediger, die calvinisch bleiben wollen, das Land räumen."

„Wenn Ihr nicht anders könnt, so geschehe des Herrn Wille an uns!" sagte der Pfarrer. „Sehet, gnädigster Herr, dort sitzet meine alte fünfundachtzigjährige Mutter. Sie hat das Augenlicht verloren, und ihre Füße sind gelähmt, aber sie ist mit uns fortgezogen aus der lieben Heimat um des Evangeliums willen. Da steht mein armes Weib mit dem gebrochenen Mutterherzen. Sie hat das härteste erlebt, was einer Mutter widerfahren kann. Denn als wir ausgezogen waren, mußten wir in einer Höhle unter der Erde Zuflucht suchen vor den Verfolgern, und unser einziges Kind, ein Knabe von neun Jahren, ist in der Höhle verschwunden, wir haben keine Spur mehr von ihm auffinden können, und wissen heute noch nicht, was aus ihm geworden ist. Hier steht eine Waise, die weder Vater noch Mutter hat. Sie alle haben mit mir tragen und dulden gelernt, für uns alle war unser Glaube der Sieg, der die Welt überwunden und uns in unserm tiefen Leid aufrecht erhalten hat. Wenn Ihr uns um dieses Glaubens willen auch aus diesem stillen Zufluchtsorte verjagen wollet, so werden wir von dannen ziehen, obgleich wir nicht wissen, wohin unser Fuß sich wenden soll."

„Du hast Recht, mein Sohn," sprach Mutter Cornelia: „wir werden dir folgen, wie vor zehn Jahren, wir werden ziehen, wohin der Herr uns führen wird. Ich traue auf ihn. Aber um eines bitte den gnädigen Herrn Kurfürsten, daß unsre Flucht nicht geschehe im Winter."

„Ihr habt diese Bitte meiner alten Mutter gehört, Herr Kurfürst," sagte Clignet. „Wann muß ich ziehen?"

Ludwig VI., der bei all seiner Härte gegen Andersglaubende doch ein edles und gütiges Herz besaß, konnte sich einer gewissen Rührung nicht erwehren, als er Elisabeths und Mariens Thränen sah und der alten Cornelia in das ernste, aber milde Angesicht schaute, dessen glanzlose Augen gegen ihn gerichtet waren. Zeigen mochte er es jedoch nicht, daß er ergriffen sei. Rasch warf er deßhalb sein Pferd herum und sagte im Wegreiten: „Ihr werdet noch besondere Weisung erhalten.“ Damit verließ er den Klosterhof. Draußen aber sagte er zu seinen Begleitern: „Ihr Herren, es geht mir doch durchs Herz und gegen die Natur, daß ich solche Menschen ins Elend jagen muß.“

Zweites Kapitel.

Die böse Botschaft.

> Das ich gefürchtet habe ist, über mich gekommen, und das ich sorgete, hat mich getroffen. War ich nicht glückselig? war ich nicht fein stille? hatte ich nicht gute Ruhe? — und kommt solche Unruhe. Hiob 3, 25. 26.

Unter Hoffen und Fürchten verstrichen der wallonischen Gemeinde zu Schönau der Herbst und der Winter. Während allenthalben die reformirten Prediger und Lehrer das kurpfälzische Land verließen, während die Pfarreien und Schulen mit Lutheranern besetzt und die Gemeinden genöthigt wurden, sich der lutherischen Lehre zuzuwenden, blieben die Bewohner Schönaus ungestört, und ihrem wackeren Geistlichen war die besondere Weisung, von welcher der Kurfürst gesprochen, noch nicht zugekommen. Man glaubte sonach, die Wallonen würden von der allgemeinen Maßregel gegen die Reformirten ausgenommen bleiben. Es wäre in der That auch wenig gewonnen gewesen, wenn Clignet verbannt worden wäre. Denn da die Gemeinde der deutschen Sprache fast ganz unkundig war, so konnte nicht damit geholfen werden, daß man etwa einen deutschen Prediger lutherischer Confession anstellte. Und ein französischer Geistlicher dieses Bekenntnisses war nicht so bald gefunden.

Ganz trauten jedoch die Wallonen der Ruhe nicht, die man ihnen zu gönnen schien. Sie befanden sich vielmehr in unaufhörlicher Spannung und Besorgniß. Clignet aber verwaltete sein Amt als Prediger und Seelsorger unausgesetzt mit derselben Ruhe, mit der alten Treue, ja man kann sagen mit noch freudigerem Eifer. Bei aller Milde und Sanftmuth seines Wesens, gehörte er zu den festen Naturen, welche sich durch bevorstehende Gefahren nicht entmuthigen oder beugen lassen, sondern nur noch kräftiger und entschiedener werden, wenn ein Leiden bevorsteht oder schon hereingebrochen ist. Wie die Eiche ihre Wurzeln nur um so fester in die Erde schlägt, je wilder der Sturm sie umtobt, so wurde Clignet nur immer entschiedener und kräftiger in seinem Glauben, je mehr er von der Vertreibung der reformirten Geistlichen und der gewaltsamen Bekehrung der Gemeinden hörte und je näher ihm seine eigene Verbannung zu rücken schien. Er glich hierin seiner alten, kräftigen Mutter, die auch kein Zweifeln und Verzagen kannte, wo es die Verheißungen des theueren Gotteswortes und das Vertrauen auf den Herrn der Kirche galt.

Wenn es ein innigeres Verhältniß hätte geben können als das, in welchem Clignet und seine Gemeinde längst zu einander standen, so müßte man sagen, sie hätten sich in dieser Zeit der Furcht und Hoffnung noch fester aneinander geschlossen. Es ist ja so: gemeinsame Gefahr und gemeinsames Leid schließen die Seelen fester aneinander, als gemeinsame Freude.

Mehr als je war Clignet in dieser Zeit der Vater seiner Gemeinde. Wie Kinder hingen alle die Ausgewanderten an ihm. Alle suchten sie Rath und Trost bei ihm; er war der Vertraute von allen; ohne seine Billigung thaten sie nichts; sein Wort war entscheidend in allen Angelegenheiten der Einzelnen, der Familie und der Gemeinde. Aber er verdiente auch solches Vertrauen. Denn nie drängte er sich in die Geheimnisse der Familien, nie suchte er eine eigentliche Herrschaft über die Gemeinde zu üben, nie mengte er sich in Dinge, die seines Amtes nicht waren. Wo aber sein Zuspruch, sein Rath oder sein Trost begehrt wurde, oder wo er ihn seinem Amte zufolge nothwendig fand, da war er rastlos thätig, zu vermitteln, zu versöhnen, zu rathen, zu trösten und zu helfen. Er war ernst und freundlich, streng und milde, alles zu seiner Zeit. Und je länger seine Gemeinde seine Predigten hörte, desto mehr glaubte sie, er predige mit jedem Tage erwecklicher und erbaulicher. Er enthielt ihr aber auch nichts vor, was nütze ist zur Lehre, zur Strafe, zur Besserung und zur Züchtigung in der Gerechtigkeit. Er predigte mit Ernst die großen Grundlehren des Christenthums von dem tiefen Sündenverderben der Menschen und von der Gnade Gottes in Christo Jesu, die wir nur im lebendigen Glauben uns aneignen können. Und wo es darauf ankam, die Seelen zu befestigen in diesem Glauben, der allein die Sünder rechtfertigen und zur Seligkeit führen kann, da sprach er mit edelm Feuer, mit glühender Begeisterung. In dieser Beziehung waren die Worte: „Halte, was du hast, daß niemand deine Krone nehme!“ und: „Sei getreu bis in den Tod, so will ich dir die Krone des Lebens geben?“ gleichsam der Grundton, der beinahe durch alle seine Predigten hindurchklang. Dabei war er jedoch nie hart gegen den Glauben anderer, Schmähen und Verdammen blieben ihm fremd.

Wäre es unter diesen Umständen zu verwundern gewesen, wenn die Gemeinde gebangt und gezagt hätte, bei dem Gedanken, sie müsse von diesem ihrem geistlichen Vater sich trennen. Doch daran dachte auch niemand. Darüber waren alle einig, daß, wenn er verbannt werden sollte, sie mit ihm zögen, wohin es auch immer sei. Sie hatten ihm dies oft genug gesagt. So innig aber

9

Clignet über diese Liebe seiner Gemeinde sich freute, so hoch ihn auch die Glaubenstreue derselben aufrichtete, so ließ er sich im Gespräche doch selten weiter auf diesen Gegenstand ein. Es that ihm weh, tief im Herzen weh, wenn er daran dachte, daß seine arme Gemeinde, die kaum einige Jahre in Ruhe und Frieden lebte, die sich eben erst von dem harten Schlage, der sie getroffen, zu erholen begann, schon wieder herausgerissen werden sollte aus ihrem Frieden. Wenn er daran dachte, so zitterte er vor jener besonderen Weisung des Kurfürsten, die ja immer noch kommen konnte. Mehr als einmal stand er am Fenster seiner Studirstube und eine Thräne stieg ihm ins Auge, wenn er die hübschen neuen Häuser überblickte, welche seine Wallonen und die französischen Hugenotten in dies stille Wiesenthal gebaut hatten.

An einem heiteren Märztage des Jahres 1578 war Clignet mit den Seinigen in der Wohnstube zusammen. Er stand am Fenster, von welchem aus man einen großen Theil des Thales und der angränzenden Berge überschauen konnte.

„Du bist so still, so nachdenklich, Vater," hob seine Gattin an; „hast du etwas besonderes auf dem Herzen?"

„Elisabeth," sagte der Pfarrer: „ich sehe da draußen auf dem Felde unsere guten Leute ämsig beschäftigt. Sie pflügen, sie graben, sie säen. Da beschleicht mich die Frage: Wer wird die Frucht ihrer Mühe ernten?"

„Sie säen auf Hoffnung," fiel Mutter Cornelia ein: „und Hoffnung lässet nicht zu Schanden werden."

„Mutter," erwiderte Clignet: „du hast vom Kurfürsten erbeten, daß unsere Flucht nicht geschehe im Winter. Der Winter ist vorüber, die Erde wird grün, und der Storch hat bereits wieder Besitz von seinem Neste dort drüben auf dem alten Thurme genommen. Der Zugvogel erinnert mich daran, daß wohl jetzt die Zeit gekommen sein dürfte, in welcher wir von dannen ziehen müssen."

Marie trat zu ihrem Pflegevater hin, schmiegte sich an ihn, und sagte: „O sei nicht traurig, lieber Vater! Siehe, ich habe dem Kurfürsten in das Gesicht geschaut, als die Großmutter um Aufschub bat, und ich habe gesehen, daß er gerührt war. Er hat doch ein freundliches Herz, das sagen auch viele Leute von ihm, er wird gewiß Rücksicht genommen haben auf unser Unglück, er wird die schon einmal Vertriebenen nicht so hart behandeln, daß er sie noch einmal ins Elend schickte. Ich glaube wenigstens, daß wir hier bleiben und ruhig unsers Glaubens leben dürfen."

„Glaubst du?" sprach Clignet mit einem schwermüthigen Lächeln, indem er dem Mädchen die Hand auf das Haupt legte. „Laß dich durch deine Beobachtung auf dem Angesichte des Kurfürsten nicht zu sicher machen, der Schlag könnte dir sonst um so weher thun. Wohl ist Ludwig bei all seiner Strenge ein gerechter und wohl auch ein gütiger Herr, aber er ist nicht ganz Herr in seinem Hause. Hast du den Höfling nicht gehört, der damals da unten im Hofe zu seinem Herrn sagte: Es ist nur schade, daß diese Fremden den calvinistischen Irrlehren zugethan sind? Ich habe das Wort nicht vergessen. Siehe, solcher Leute schleichen noch manche um den Kurfürstenstuhl und schüren das böse Feuer, das ein Feuer des Glaubens heißen soll, aber nur ein unglückseliger Brand ist, den ein blinder Eifer, ein Eifer mit Unverstand, angezündet hat. Und das weiß ja die ganze Welt, daß die Kurfürstin ihrem Gemahl nicht Rast und Ruhe läßt, bis die reformirte Lehre aus der Pfalz verbannt ist. Der Herr vergebe dieser allzu eifrigen Frau, denn sie weiß nicht, was sie thut. Sie kann unsere Kirchenlehre nicht kennen, sonst müßte sie milder gegen dieselben gesinnt sein." Er schwieg einige Augenblicke, und fuhr dann fort: „Ich wollte ja gern weiterziehen, wenn meine liebe Gemeinde nicht wäre. Sie in neues Elend zu führen, kommt mich gar hart an; mich von ihr zu trennen, das bräche mir das Herz. Was sollte auch hier aus dem armen Häuflein werden? Sollen sie sich zwingen lassen, dem Glauben zu entsagen, dem sie bisher angehört und ihr ganzes irdisches Glück geopfert haben?"

„Sollte denn der Kurfürst wirklich so hart sein, daß er das mit Gewalt verlangte?" sagte Marie.

„Zweifle nicht daran, mein Kind," versetzte Clignet. „Das Vorspiel dazu hat ja längst begonnen. In Heidelberg selbst und in vielen andern Gemeinden stehen schon die lutherischen Prediger auf der Kanzel, und ein reformirter Gottesdienst wird nicht mehr geduldet. Das glaube ich zwar nicht, daß der Kurfürst mit roher Gewalt, mit Feuer und Schwert die Glaubensänderung erzwingen will, wie dies die Könige von Frankreich und von Spanien gethan haben und noch gegenwärtig thun; eine Inquisition wird er nicht einsetzen, denn er ist doch ein evangelischer Fürst, und achtet Gottes Wort zu hoch, als daß er sich so gröblich gegen dasselbe versündigen sollte; aber manch anderes Zwangsmittel wird er in seinem blinden Eifer nicht für unrecht halten, davon bin ich überzeugt."

„Ich glaube aber immer noch," fiel Cornelia ein: „daß er wenigstens uns arme Fremdlinge in Ruhe lassen werde."

„Ich glaube es nicht," erwiderte der Geistliche. „Der blinde und darum ungöttliche Religionseifer kennt leider kein Mitleid. Unter den blinden Eiferern findet sich selten ein Samariter. Mutter, ich bin auf das äußerste gefaßt."

Das letzte Wort war kaum aus Cligncts Munde, da klopfte es an die Thüre. Ein jäher Schreck fuhr bei diesem Pochen durch die Glieder der Anwesenden. Unwillkürlich war es allen, als stehe die Erfüllung dessen, was der Hausherr fürchtete, schon vor der Thüre. Als aber der Geistliche selbst öffnete und ein Bote mit einem Schreiben hereintrat, ward die arme Pfarrerin bleich, und mußte sich auf einen Stuhl niederlassen, um nicht umzusinken. Clignet öffnete das Schreiben, las, und obgleich seine Züge sich kaum merklich veränderten, so entfärbte sich doch sein Gesicht. „Des Herrn Wille geschehe!“ sagte er ruhig, aber doch mit einigem Zittern der Stimme. „Kinder, während wir von unserm künftigen Schicksale sprachen, stand es schon draußen vor der Thüre. Es ist, wie ich sagte, der gnädige Herr Kurfürst gibt mir noch drei Wochen Zeit; in dieser Frist muß ich mich entweder zur lutherischen Lehre bekannt oder das Land verlassen haben.“

Der Bote, der die tiefe Bewegung der Familie und besonders Elisabeths und Mariens strömende Thränen sah, wurde ganz verlegen und sagte: „Hochwürdiger Herr, zürnet mir nicht, daß ich Euch solche Hiobspost bringen mußte.“

„Seid darüber beruhigt, lieber Freund,“ sprach der Pfarrer freundlich; „der Schlag kommt ja nicht von Euch, was könnt Ihr dafür?“

„Der Schlag kommt überhaupt nicht von Menschen, sondern vom Herrn,“ versetzte die Großmutter ernst. „So demüthiget euch nun unter die gewaltige Hand Gottes.“

Clignet befahl seiner Pflegetochter, dem Boten Speise und Trank vorzusetzen, und ging hinüber auf seine Studirstube, um das Schreiben zu beantworten. Seine Antwort war ruhig und würdevoll. Er sagte dem

Kurfürsten und seinem Kirchenrathe, daß er seine Glaubensansichten nicht vertauschen könne und darum dem Befehl nachkommen und in der gesetzten Frist das Land verlassen werde. Am Schlusse sprach er noch den Segen über den Kurfürsten und dessen Haus, faltete das Schreiben zusammen, und trat dann wieder in das Wohnzimmer so ruhig, als wenn gar nichts vorgefallen wäre.

Der Bote hatte kaum die Wohnung der Pfarrers verlassen, als schon einige der angesehensten Gemeindeglieder eintraten. Es hatte sich bereits das Gerücht verbreitet, der Pfarrer habe ein Schreiben vom Kurfürsten erhalten. In einer halben Stunde war ganz Schönau auf den Beinen, und wie einst der Pfarrhof in Antwerpen, so füllte sich jetzt der Klosterhof mit Menschen. Clignet sagte den Bürgern kurz, welchen Befehl er erhalten und was er darauf geantwortet habe. Als diese in den Hof hinabkamen und der harrenden Menge die betrübende Botschaft mittheilten, entstand ein allgemeines Wehklagen. Die Gemeinde verlangte ihren Geistlichen zu sehen und Clignet ließ der Versammlung sagen, er wolle in das Kapitelshaus hinüberkommen und dort mit ihr reden. Der weite Raum des Kapitelshauses, dessen Gewölbe in der Mitte der Länge nach durch eine Reihe von Säulen gestützt ist, füllte sich alsbald mit Männern und Frauen. Auch Mutter Cornelia ließ sich hinübertragen. Als der Geistliche erschien, war kein Auge trocken. Nur Clignet selbst erschien ruhig; er hatte sich ja längst mit dem Gedanken vertraut gemacht, daß es so und nicht anders kommen werde.

„Kinder," hob er an: „wir sind noch nicht geprüft genug und vor Gott noch nicht bewährt genug erfunden, darum ruht abermals seine Hand schwer auf uns. Wie einst in unserm Vaterlande, so ergeht es uns jetzt in der Fremde, wo wir eine Heimath gefunden zu haben glaubten. Auch hier müssen wir wieder um unsers Glaubens willen Verfolgung leiden. Der Kurfürst stellt mir frei, entweder zur lutherischen Confession überzutreten, oder binnen drei Wochen sein Land zu verlassen. Welche Wahl ich getroffen habe und treffen mußte, darüber könnt ihr wohl keinen Augenblick im Zweifel sein. So weh es mir thut, von euch zu scheiden, mit denen ich in Freude und noch vielmehr im Leide so innig zusammengewachsen war, so kann ich doch nicht anders, ich muß euch verlassen. Mein Amt unter euch ist zu Ende, denn nach kurfürstlichem Befehl bin ich nicht mehr Pfarrer dieser Gemeinde. So habt denn Dank für die viele Liebe, welche ihr mir und den Meinigen zu aller Zeit erwiesen. In meinem Herzen werde ich euch tragen, wohin auch immer der Herr mich führen wird."

Als Clignet inne hielt, entstand ein Gemurmel in der Versammlung. Ein alter Mann trat vor, und sprach: „Ehrwürdiger Herr, ich glaube nicht, daß ein Glied in der Gemeinde ist, das in eine Trennung von Euch willigen würde. Wie wir vor elf Jahren in Antwerpen dachten, so denken wir heute noch, und selbst unsere Brüder und Schwestern aus Frankreich, die vor uns hier waren oder nach uns eingewandert sind, denken in dieser Beziehung sicherlich so wie wir."

„So ist es!" riefen einzelne Hugenotten.

„Kinder, versetzte der Pfarrer: „übereilet euch nicht! Ihr habt hier eine Zuflucht gefunden, euern Herd gegründet, und eure Geschäfte sind in schönem Gedeihen. Wollt ihr aufs ungewisse hin fortziehen und wieder von neuem anfangen? Es wäre Sünde von mir, wenn ich duldete, daß ihr dies um meinetwillen thätet."

„Und wenn wir es auch nicht um Euretwillen thäten," sprach ein anderer aus der Versammlung: „so müßte es um unsers theuern Glaubens willen geschehen. Was hat denn der Kurfürst über uns beschlossen?"

„Das weiß ich nicht," antwortete Clignet. „Das Schreiben, das ich erhielt, hat davon keine Meldung gethan."

„Was wird er über uns beschlossen haben?" rief eine Stimme. „Gewiß nichts anderes, als was über die Gemeinden sammt und sonders verhängt ist: unsern Glauben sollen wir aufgeben und den seinigen annehmen."

„Nimmermehr!" riefen hundert Stimmen zugleich. „Ehe wir uns einen andern Glauben aufzwingen lassen, lieber wandern wir bis an das Ende der Erde."

Und wie damals im Pfarrhofe zu Antwerpen, so riefen auch jetzt wieder alle zusammen: „Wir ziehen mit Euch!"

Mutter Cornelia erhob die welke Hand zum Zeichen, daß auch sie ein Wort reden wolle. Sogleich trat eine tiefe Stille ein. „Freunde," sprach die Greisin: „eure Treue im Glauben und eure Liebe zu meinem Sohne erfreut innig mein altes Herz, und doch thut es auch mir wehe, wenn ich bedenke, daß ihr abermals in die Verbannung wandern sollet. Lasset uns darum vorher alles versuchen, ob nicht der Sinn des Kurfürsten erweicht werden kann. Wählt aus eurer Mitte eine Gesandtschaft, die nach Heidelberg gehe und den Kurfürsten inständig anflehe, daß er uns beisammen hier und zwar bei unserm bisherigen Glauben belasse. Ein gutes Wort findet vielleicht doch eine gute Statt."

„Mutter Cornelia," versetzte einer der Männer: „ich glaube nicht, daß der Schritt, den ihr vorschlaget, zum Ziele führen wird. Der Kurfürst zwar wäre zu erweichen, aber seine strenge Gemahlin ist es nicht."

„O saget das nicht," entgegnete die Großmutter: „sollte ein Weib ein Herz von Stein haben? Ich kann das von der edlen Frau nicht glauben. Wohlan denn, ich will selbst mit der Kurfürstin reden, ich will sehen, ob sie wirklich so hart und unerbittlich ist. Fahret oder traget mich nach der Stadt und auf das Schloß, wir wollen sehen, was wir ausrichten."

Der Vorschlag Cornelias fand lebhaften Anklang in der Versammlung. Ihre zuversichtliche Sprache belebte die schon tief gesunkene Hoffnung der Gemeinde wieder um so mehr, als alle gewohnt waren, Mutter Cornelias Worte gleichsam als Weissagungen zu betrachten. Nur Clignet sagte ernst und bedenklich. „Der Herr gebe, daß es gelinge!“ Hierauf wählte man eine Deputation, welche den Geistlichen und Cornelia auf dem wichtigen Gange begleiten sollte, und die Versammlung ging auseinander.

Drittes Kapitel.

Die Gesandtschaft.

> Es ist gut auf den Herrn vertrauen und sich nicht verlassen auf Menschen. Es ist gut auf den Herrn vertrauen und sich nicht verlassen auf Fürsten. Ps. 118, 8. 9.

Das Schloß zu Heidelberg ist jetzt wohl die größte und schönste Ruine in Deutschland, zu jener Zeit war es wohl die schönste der fürstlichen Residenzen auf deutschem Boden. Wenn auch die Schloßgebäude minder schön und großartig gewesen wären, die unbeschreiblich herrliche Aussicht in das Neckarthal und über die weite pfälzische Rheinebene hin wäre allein schon hinreichend gewesen, das Kurfürstenschloß zu einem Aufenthalte zu machen, der weithin vergebens seines Gleichen suchte. Der Kurfürstin Elisabeth gefiel es auch hier ungleich besser, als in Amberg. Es war ihr ein hoher Genuß, aus den Fenstern dieser Gemächer und Säle, oder von dem großen Altan vor der Kapelle, oder vom Schloßgarten hinauszuschauen in die reiche, schöne, blühende Pfalz. Kaum hatte die liebliche Märzsonne die letzten Spuren des Winterschnees hinweggetilgt, so suchte sie auch schon in den Mittagsstunden den Schloßgarten auf, um sich der milden Frühlingsluft, der lieblichen Sonnenwärme und der sprossenden Gräser und Kräuter zu erfreuen.

So war sie eines Tages nach der Mahlzeit lustwandeln gegangen, und ihr Gemahl hatte sich zu ihr gesellt. Bald bildeten aber weder Frühlingsluft, noch Sonnenschein, noch junges Grün den Gegenstand der Unterhaltung, sondern das Gespräch lenkte sich wieder auf den ernsten Punkt, welcher die Gedanken der Kurfürstin am meisten beschäftigte.

„Ihr habt einen Brief von Neustadt empfangen," begann sie: „darf ich wissen, was Euer Herr Bruder schreibt?"

Des Kurfürsten Züge wurden ernster. „Was wird er schreiben? Er klagt bitter darüber, daß ich meinen Befehl gegen die calvinischen Prediger nicht zurücknehme. Er nennt mich hart und grausam."

Elisabeth sah ihren Gemahl forschend an. „Ich hoffe nicht," sprach sie: „daß solch ungerechter Vorwurf von solchem Bruder Euch tief berühren wird. Er ist der schweizerischen Irrlehre steif und fest zugethan, und sein Irrthum verblendet ihn. Was glaubt Ihr, was würde Pfalzgraf Casimir thun, wenn er statt Eurer auf dem Kurfürstenstuhle säße?"

Der Kurfürst zuckte die Achsel und schritt gesenkten Hauptes vorwärts, ohne die Frage seiner Gemahlin zu beantworten. Sie that dies aber selbst. „Er würde alle Lutherischen aus dem Lande jagen," fuhr sie fort. „Was thut er drüben über dem Rhein? Was in den beiden Oberämtern Neustadt und Lautern noch nicht calvinisch ist, das macht er dazu."

Ludwig blieb stehen und entgegnete rasch: „Noch hat er aber keinen lutherischen Prediger außer Landes gejagt! Casimir gilt überhaupt für milde, ich für hart."

„Was Ihr vor den Menschen geltet, soll Euch nicht irren," sprach die Kurfürstin eifernd: „wohl aber sollet Ihr fragen, was Euch der Herr gebietet. Ihr seid Fürst über ein Volk, Ihr kennt die reine Lehre, möchtet Ihr Euer Volk im gefährlichen Irrthume dahingehen lassen? Thut es, und der Herr wird die Seelen von Eurer Hand fordern."

„Aber liebe Elsbeth," sagte der Kurfürst: „bedenket doch, daß es keine Ungläubigen sind. Sie glauben im Grunde, was wir glauben und wollen auch nur durch die Gnade unsers Herrn Jesu Christi selig werden, gleich wie wir. Bedenket nur, mein Bruder Casimir ist ein frommer Fürst."

„Haltet mir's zu gute," rief Elisabeth: „wenn ich sage: sie glauben nicht gerade, was wir glauben. Selbst Doctor Martinus konnte mit den Starrköpfen nicht einig werden.

Ludwig lächelte. „Elsbeth," sagte er: „wie wäre es denn, wenn der Mann recht hätte, der mir neulich sagte, es sei das nur Schulgezänke, das eigentlich zur Seligkeit nichts importire? Er meinte, der lebendige Glaube an den Weltheiland sei die Hauptsache."

Die eifrige Kurfürstin antwortete mit dem Bibelspruche: „Sehet euch vor vor den falschen Propheten!" dann fuhr sie fort: „Was für Zertrennung und Unfrieden der verschiedene Glaube erzeugt, das sehet Ihr in diesem pfälzischen Lande. Als Fürst muß Euch schon an der Einigkeit und dem Frieden im Lande gelegen sein."

Der Kurfürst faßte ihre Hand und sagte: „Liebe Gemahlin, ereifert Euch nicht, wir sind ja eines Sinnes; aber ich müßte kein Herz haben, wenn es mir nicht wehe thäte, die sonst braven Leute ins Elend zu jagen."

Das Gespräch wurde in diesem Augenblicke unterbrochen. Der Hausmarschall selbst kam daher und machte eine tiefe Verbeugung. „Durchlauchtigster Herr," sprach derselbe: „verzeihet mir, daß ich Euch stören muß. Es ist eine Deputation der Schönauer Calvinisten vor dem Thore des Schlosses, die Euch und die gnädigste Frau

Kurfürstin behelligen möchte. Ich wollte sie abweisen, aber die Leute wollen nicht vom Flecke weichen. Besonders ist dabei eine alte blinde Frau, die geradezu erklärt, sie würde vor dem Thore sitzen bleiben, bis Ihr sie hörtet oder mit Gewalt fortschaffen ließet. Befehlet gnädigst, was ich mit den Leuten anfangen soll."

Die Kurfürstin sah ihren Gemahl bedeutsam an, doch ehe sie ein Wort sprechen konnte, sagte dieser: „Lasset sie in Gottes Namen in den Schloßhof treten."

Während nun der Marschall sich entfernte, sprach der Kurfürst, der noch immer die Hand seiner Gemahlin fest hielt: „Kommt, liebe Elsbeth, die Leute wollen auch mit Euch reden, und eine Landesmutter muß wenigstens ihre Kinder hören."

Die Kurfürstin entgegnete kein Wort, sondern ging mit ihrem Gemahl dem Schlosse zu. Nur ihre Züge waren ernster, ja man kann sagen strenger geworden. Als sie in den weiten Schloßhof traten, bot sich ihnen ein eigenthümliches Schauspiel dar. Den Thorweg neben der Schloßkapelle herauf kam der kleine Zug der Schönauer Deputation. Sie bestand aus dem Pfarrer Clignet und fünf der angesehensten alten Männer seiner Gemeinde. Vor allen aber war es Mutter Cornelia, welche die Augen des kurfürstlichen Paares so wie der Hofbeamten und des zahlreichen Hofgesindes auf sich zog. Sie saß wie gewöhnlich auf ihrem Stuhle, an dessen Seiten je zwei eiserne Ringe angebracht waren. In diesen Ringen staken zwei Stangen, deren Enden vier kräftige Männer hielten und so die Matrone in den Schloßhof trugen. Sie war einfach schwarz gekleidet, und unter der heute etwas gewählteren Haube quoll das noch sehr reiche, einfach gekämmte, schneeweiße Haar hervor. Dieses Haar und das weiße an ehemalige Schönheit erinnernde Gesicht stachen ganz eigenthümlich von der schwarzen Kleidung ab, und erhöhten das an sich schon so ehrwürdige Aeußere der hochbetagten Frau.

Die Kurfürstin, die einen Augenblick stehen geblieben war, um den seltsamen Aufzug zu betrachten, konnte sich nicht enthalten, zu ihrem Gemahle zu sagen: „Eine schöne alte Frau!" Der Kurfürst nickte. „Sie ist gelähmt und blind dabei," versetzte er: „und hat schon viel Leid getragen. Sie ist die Mutter des Predigers dort."

Mittlerweile hielt der kleine Zug an, die Träger hatten den Sessel niedergestellt, und die Männer harrten mit entblößten Häuptern auf einen Wink oder Befehl des Kurfürsten, welchen Clignet von ferne bereits erkannt hatte. Das fürstliche Paar ließ indeß nicht lange auf sich warten, sondern trat selbst näher zu der harren- Gruppe heran. Ehrfurchtsvoll verbeugten sich die Abgeordneten der Schönauer Gemeinde, und als der Kurfürst fragte: „Herr Prediger, was führet Euch zu uns, was ist Euer Begehr?" da antwortete Clignet: „Durchlauchtigster Kurfürst und Herr! haltet zu Gnaden, daß wir Euch durch unser Andringen beschwerlich fallen. Ich habe Euern fürstlichen Befehl erhalten, binnen drei Wochen die lutherische Lehre anzunehmen, oder das Land zu räumen."

Der Kurfürst unterbrach ihn: „Unser Befehl kann Euch nicht mehr überrascht haben, Ihr kennet unsern Willen in diesem Stücke längst und habt ihn aus unserm eigenen Munde vernommen. Auch werdet Ihr Euch nicht beklagen wollen, vielmehr mögt Ihr unsrer Milde danken, daß wir Rücksicht genommen haben auf das Wort Eurer alten Mutter hier, die uns damals bat, daß Eure Flucht nicht geschehen möge im Winter."

„Gnädigster Herr!" nahm Cornelia das Wort: „gestattet einer alten Frau, ein Wort vor Euch zu reden. Ich vermag nicht aufzustehen und Euch und Eurer hohen Gemahlin meine Ehrfurcht zu bezeugen, wie ich es sollte und möchte; auch danken kann ich nicht, wie ich es möchte. Gott segne Euch und Euer hohes Haus reichlich dafür, daß Ihr der Bitte eines armen blinden Weibes gedachtet und uns so lange Frist geschenkt und den strengen Winter über habt ruhig wohnen lassen. Wollet es uns auch nicht verargen, wenn unsere hoffenden Herzen auf Eure gnädige Milde noch mehr gebaut haben. Wir hofften, Ihr ließet uns vielleicht doch in unserm stillen Thale mit unserm Glauben ruhig wohnen. O thut es doch, gnädiger Herr — seid barmherzig!"

„Seid barmherzig!" sagte Clignet sammt den fünf andern Abgesandten, wie im Chore.

Der Kurfürst sah gedankenvoll zu Boden, und warf dann nur einen flüchtigen Blick auf seine Gemahlin. Diese stand neben ihm mit ernster Miene und sah nur bisweilen in Cornelia's erloschene Augen. Was sie dachte war nicht in ihren Zügen zu lesen. Mutter Cornelia aber, da sie keine Antwort auf ihre inständige Bitte erhielt, glaubte nun ihr Wort an Elisabeth richten zu müssen. „Gnädige Frau Kurfürstin," hob sie an: „Gott hat mir das Augenlicht genommen, ich kann Euch nicht von Angesicht schauen, ich kann nicht zu Euch hintreten um bittend den Saum Eures Kleides zu fassen, aber ich vertraue auf ein weiblich Herz und bitte flehentlich, leget ein geneigtes Wort bei Euerm hohen Gemahl für uns arme Verbannte ein. Der Herr wolle es Euch und Euern Kindern und Kindeskindern vergeltend lohnen!"

„Gute Frau," sprach Elisabeth: „mein Gemahl ist des Landes Herr, ich bin es nicht, und muß es ihm überlassen, des Landes und der Kirche Heil zu bedenken. Er hat beschlossen, daß in seinen Landen ferner keine religiöse Zertrennung stattfinden, sondern daß alle seine Unterthanen dem reinen evangelischen Glauben, wie ihn Doctor Martin Luther an das Licht gestellt, angehören sollen. Soll ich ihn bitten, von einem Beschlusse abzulassen, der das Heil der Seelen und überdies des Landes Ruhe und Frieden bezweckt?"

„So wahr der Herr lebt," sprach Cornelia: „weder mein Sohn noch irgend ein Glied seiner Gemeinde hat im Sinne, die Ruhe und den Frieden des Landes zu stören. Thun sie dies jemals, dann treibet sie mit eiserner Ruthe zum Lande hinaus. Aber so lange sie still und friedlich im Lande wohnen und ihr eigenes Brod essen, lasset sie wohnen und für das Heil ihrer Seelen sorgen nach ihrer Weise."

Die Kurfürstin erwiderte in etwas schärferem Tone: „Meinet Ihr, es dürfe einem christlichen Fürsten ganz gleichgiltig sein, weß Glaubens oder Unglaubens die ihm untergebenen Bewohner seines Landes sind? Wahrlich, er hat eine höhere Verantwortung vor Gott!"

„Ihr habt recht, gnädigste Frau!" entgegnete Cornelia: „es ist nicht gleichgültig, ob in einem Lande Glaube oder Unglaube herrscht. Der Glaube schützt, erhält und bringt Segen, der Unglaube aber ist das Verderben eines Volkes und stürzt es allemal in Jammer und Untergang. Ein guter christlicher Landesherr kann darum nimmermehr ruhig zusehen, wenn das Evangelium mit Füßen getreten, wenn Christus verläugnet und geschmäht und eitles Menschenwort an die Stelle des Wortes Gottes gesetzt werden soll. Aber wo haben sich die Reformirten jemals solcher Gräuel schuldig gemacht? Sie glauben ja mit ihren lutherischen Brüdern an denselben Gott und Vater im Himmel, an denselben Heiland und Erlöser Jesum Christum, welcher ist der wahrhaftige Gott und das ewige Leben. Alle ihre Schriften bezeugen, daß sie Gottes Wort über alles setzen, sich einzig und allein nach diesem richten und nur durch die Gnade unsers Herrn Jesu Christi selig werden wollen."

In den Augen der Kurfürstin blitzte ein lebhaftes Feuer auf. Es war kein Zornfeuer, vielmehr ein Leuchten der Freude. Die eifrige Frau glaubte hier den Punkt gefunden zu haben, von welchem aus sie ein Bekehrungswerk beginnen könnte. „Wohlan!" sprach sie: „wenn ihr denn mit uns im Glauben so eins seid, wie ihr behauptet, warum weigert ihr euch so hartnäckig, von dem zu lassen, worin ihr noch im Irrthum seid, und das reine Evangelium nach Luthers Lehre anzunehmen?"

Auf dem ehrwürdigen Angesichte Cornelia's prägte sich deutlich ein tief schmerzlicher Zug aus. Ihre Augenlieder sanken über die geblendeten Augen herab, als wolle sie trauernd zur Erde schauen. „Irrthum?" sagte sie langsam und leise: „gnädige Frau Kurfürstin, was Ihr Irrthum nennet, halten wir für volle biblische Wahrheit, und darum können wir nicht davon lassen. — Mein Sohn," fuhr sie nach einem kurzen Schweigen fort: „es wird sein, wie du gesagt hast, wir werden ziehen müssen."

„Gnädiger Herr, muß es wirklich also sein?" fragte Clignet.

„Ich kann keine Ausnahme machen und meinen wohl überlegten und gemessenen Befehl um euretwillen nicht zurücknehmen," sprach Ludwig, doch in ziemlich mildem Tone.

„Es geschehe an uns des Herrn Wille!" sagte der

Prediger und Cornelia sprach dazu ein leises, doch vernehmliches „Amen!“

Noch aber verabschiedete sich die kleine Deputation nicht. Erst trat noch der älteste der fünf Männer einen Schritt vor und sagte: „Durchlauchtigter Herr und Fürst, wollet Ihr den Termin unseres Abzuges nicht gnädigst weiter erstrecken, als bis zu drei Wochen? Es ist eine gar zu kurze Zeit, um alles zum Zuge zu bestellen. Wir haben Tücher zu liefern versprochen und manches andere zu ordnen — —“

„Wie? wollet ihr samnt und sonders ziehen?“ rief der Kurfürst betroffen. „Ich dachte, ihr hättet euch eines besseren besonnen, als euer Prediger.“

„Verzeihet, gnädigster Herr,“ versetzte der Sprecher: „wir wollen sein Schicksal theilen und mit ihm ziehen, darüber ist die ganze Gemeinde einig.“

„Dazu hat er sie beredet und verlockt,“ sprach die Kurfürstin rasch.

„Das habe ich nicht, gnädigste Frau!“ sprach Clignet ruhig und mit Würde. „Fraget jeden einzelnen selbst.“

„Nein, bei Gott! das hat er nicht,“ sagte der Alte. „Schon aus Antwerpen wollte er allein ziehen, wir sind aber um des Glaubens willen mit ihm gezogen. Er hat alles Leid mit uns getragen, und manches noch für uns, jedenfalls mehr als wir, und schon darum würde ihn die Gemeinde nicht verlassen. Als der kurfürstliche Befehl an ihn erging, das Land zu räumen, wollte er wieder nicht haben, daß wir die neue Heimath mit ihm verließen, aber es ist keine Seele in der Gemeinde, die ihn verlassen und ihrem bisherigen Glauben absagen wollte. Und wenn der Entschluß unsers gnädigsten Herrn nicht zu ändern ist, so bitten wir nur um Frist, die dringendsten Geschäfte zu ordnen."

Der Kurfürst kniff die Lippen zusammen. Man sah ihm an, daß ihm die ganze Sache unangenehm, ja peinlich war. Elisabeth bemerkte das wohl, und da sie fürchtete, es könne ihn eine allzu nachgiebige Stimmung anwandeln, sagte sie kurz aber hart: „Sie sind hartnäckig, sie wollen ja nicht anders!"

„Wir können nicht anders!" sprach Cornelia ernst und bestimmt. Dann erhob sie die zitternde Rechte, und indem ihr glanzloses Auge sich nach oben richtete, als wolle sie gen Himmel blicken, sprach sie feierlich: „Gott ist deß Zeuge, wir können nicht anders! — Gnädige Frau Kurfürstin, meine Tage sind gezählt, und ich fürchte nichts mehr von Menschen. Verfahret mit mir wie Ihr wollet, aber zuvor lasset mich Euch ein Wort sagen: Sehet Euch vor, daß Ihr nicht Wind säet und Sturm ärntet. Es möchte wohl kommen daß das Werk, das Ihr mit Gewalt erbauet, mit Gewalt wieder niedergerissen wird. Indeß behüte Euch und Euer fürstliches Haus die starke Hand dessen, der alles lenket und alles wenden kann. Meine und der Meinigen Zunge soll nimmer Uebles wider Euch reden, obgleich Ihr uns verstoßet, wie verworfene Kinder. Wir bitten den Herrn, daß er Euch und Euern hohen Gemahl und Euer fürstliches Haus zeitlich und ewiglich segne."

Die Kurfürstin stand halb erzürnt, halb erschüttert vor der alten, Achtung gebietenden Matrone. Sie sprach kein Wort. Clignet und seine fünf Begleiter verabschiedeten sich ehrerbietig von dem kurfürstlichen Paare. Das Nämliche that Cornelia, als habe sie vorher kein anderes Wort gesprochen. Die vier Träger faßten ihre Tragstangen, und der kleine Zug verschwand in der gewölbten Halle unterhalb der Kapelle.

Kurfürst Ludwig ging finster und schweigend neben seiner schweigenden Gemahlin der Treppe des von ihm bewohnten Schloßflügels zu.

Viertes Kapitel.

Neues Hoffen und neues Leid.

Wir haben hier keine bleibende Stadt, sondern die zukünftige suchen wir. Hebr. 13, 14.

Auf dem Kornmarkte zu Heidelberg, da wo der schmale Burgweg beginnt oder endet, trafen die Schönauer Abgesandten mit einigen andern zusammen, welche sie nach der Stadt begleitet und in ängstlicher Spannung auf den

Erfolg der Sendung gewartet hatten. Diese waren jedoch nicht mehr allein. Hunderte von Heidelberger Bürgern hatten sich um sie versammelt. Es hatte immer einer dem andern zugeflüstert, was im Augenblicke droben auf dem Schlosse vorgehe, und jeder, der davon gehört, war in Spannung über den Ausgang. Ging ja doch die Sache alle bisher reformirten Bewohner des Landes an. Und wenn es auch manchem einzelnen ziemlich gleich galt, ob er lutherisch oder calvinisch sei, so wollte doch der angewendete Zwang keinem gefallen. Als nun auf die Frage, wie es ergangen sei, die alte Cornelia laut antwortete: „Kinder, da droben ist keine Stube für uns, wir müssen sie weiter oben suchen!" da lief ein Gemurre durch die ganze Menschenmenge, welche den Kornmarkt bedeckte. Clignet mahnte zum Aufbruche, denn es war ihm schon unangenehm, daß um ihretwillen sich eine solche Menschenzahl herbeigezogen hatte. Indessen kamen sie doch so schnell nicht vom Flecke. Immer hielt sie wieder ein anderer mit einer Frage auf. Auf dem Schlosse droben war mittlerweile der Zusammenlauf auf dem Kornmarkte schon bemerkt worden, und schnell wurden einige Soldaten von der Schloßwache abgeschickt, um zuzusehen, was es da unten gebe. Zum Glücke war Clignet mit seinen Begleitern bereits auf dem Wege nach der Neckarbrücke. Ein etwas längerer Aufenthalt hätte ihnen sicherlich eine große Verlegenheit bereitet. Indeß kamen sie unangefochten nach Schönau zurück.

Man kann sich denken, welche laute Wehklage sich im ersten Augenblicke in dem stillen Thale erhob, als sich die Nachricht verbreitete, daß auch der letzte Schritt vergeblich gewesen, daß alle Hoffnung fehlgeschlagen sei. Clignet suchte allenthalben zu trösten und aufzurichten, obwohl ihm selbst das Herz blutete. Noch einmal stellte er der versammelten Gemeinde vor, daß es doch vielleicht besser für sie wäre, wenn sie ihn vordersamst allein ziehen ließe und ruhig das äußerste erwarte. Niemand wollte davon etwas hören.

Der nächste Morgen schon bestärkte die Gemeinde in ihrem gefaßten und festgehaltenen Entschluß. Es erschien nämlich abermals ein kurfürstlicher Befehl, welcher besagte, es sei der unabänderliche Wille des Landesherrn, daß Clignet binnen der anberaumten Zeit von drei Wochen das Land verlasse. Der gute Mann wurde in dem Schreiben geradezu ein Unruhestifter und Aufwiegler genannt, und ihm bei schwerer Strafe verboten, die Kanzel zu Schönau wieder zu betreten, überhaupt das Predigtamt bei der Gemeinde zu verwalten. Das war ein unsäglich harter Schlag für ihn. Er sollte also in so harter Zeit die schwer angefochtene Gemeinde nicht einmal mehr aus Gottes Wort trösten, erbauen und stärken dürfen! Bezüglich der Gemeinde sagte das kurfürstliche Schreiben, sie könne bei ruhigem Wesen ungefährdet in Schönau wohnen, der Kurfürst werde aber fürs erste einen seiner Prediger, der der französischen

Sprache kundig, jeden Sonntag senden, damit ihr Gottes Wort recht ausgelegt werde, bis ein tauglicher Mann für sie gefunden sei.

Solche Maßregel ist nicht zu verwundern von einem Manne wie Kurfürst Ludwig VI., der in seinem blinden Religionseifer so weit ging, daß er bei seinem Einzuge in Amberg den festlich aufgezogenen Bürgern zurufen ließ, wer ein Calvinist oder Zwinglianer sei, solle sich wieder nach Hause machen, indem es sich nicht ziemen wolle, daß dergleichen Leute einen frommen lutherischen Fürsten empfangen sollten. Hatte er ja doch bei der Leichenfeier seines reformirten Vaters zu Heidelberg nicht zugegeben, daß der bisherige reformirte Hofprediger Tossanus die Leichenpredigt hielt, indem er sagte, er könne mit gutem Gewissen nicht geschehen lassen, daß ein Calvinist durch seine Predigt seines Vaters Leiche beflecke. — So weit konnte ein sonst gerechter und tüchtiger Fürst sich vergessen. So steif bestand man auf den wenigen Lehrsätzen, welche die beiden evangelische Confessionen trennten, und vergaß darüber ganz, daß sie in allen Hauptartikeln des christlichen Glaubens miteinander ganz übereinstimmen.

In Schönau hätte die Art des Zwanges, welchen der Kurfürst anlegen wollte, die Gemeinde in dem Entschlusse auszuwandern, nur noch bestärkt, wenn es einer solchen Bestärkung noch bedurft hätte. Die ganze Bevölkerung des alten Klosters und des neuen Ortes arbeitete nun Tag und Nacht, um alles für den Auszug zu ordnen. Freilich wurden dabei in manches noch zu vollendende Stück Tuch heiße und schwere Thränen mit eingewoben. Als aber der nächste Sonntag kam und der versprochene lutherische Prediger wirklich sich einfand, um den Gottesdienst abzuhalten, fand er die Kirche ganz leer und zog unverrichteter Dinge ab.

Unterdessen wußte die bedrängte Gemeinde immer noch nicht, wo sie eine Freistätte finden werde, wenn die kurze Frist von drei Wochen vollends zu Ende gegangen sein würde. Herzog Casimir, des Fürsten Bruder, hatte zwar schon viele reformirte Prediger und Familien in seinen beiden Oberämtern jenseit des Rheines aufgenommen, ob er aber einer ganzen Gemeinde eine Wohnstätte werde anweisen können, das war noch sehr zweifelhaft. Clignet begab sich darum mit zwei Männern aus der Gemeinde nach Neustadt, den Herzog um eine Zufluchtsstätte zu bitten. Dort ward er besser empfangen, als auf dem Kurfürstenschlosse zu Heidelberg.

Pfalzgraf Casimir war überhaupt ein trefflicher Fürst. In dem Landestheile, über den er nach dem Testament seines Vaters für seine Lebzeit als Herzog regierte, sorgte er mit Eifer und weiser Umsicht für die leiblichen wie für die geistigen und geistlichen Bedürfnisse seiner Unterthanen. Er wendete dem Landbau, den Gewerben und Fabriken und eben so den Schulen und höheren Bildungsanstalten seine ganze Sorge zu. Gerade im März des Jahres 1578 war er lebhaft damit beschäftigt, in Neustadt an der Haardt eine höhere Lehranstalt, eine Art von Universität, zu errichten. Es sollten daran namentlich jene Professoren angestellt werden, welche der Kurfürst von der Universität Heidelberg entlassen hatte, weil sie das reformirte Bekenntniß nicht mit dem lutherischen vertauschen wollten.

Noch jetzt führt das Gebäude, welches der Pfalzgraf für seine neue Hochschule zu Neustadt herrichten ließ, den Namen „Casimirian“. Es steht in der westlichen Vorstadt am Speierbach und an der Straße, die in das Thal hineinführt, und zeichnet sich durch die alterthümliche Bauart vor andern Gebäuden der Stadt aus. Es war früher ein Frauenklösterlein sammt Kapelle, und führte den Namen „die weiße Clause;“ in unserer Zeit hat es die lateinische Schule der Stadt in seine Räume aufgenommen.

Dort traf Clignet den Pfalzgrafen, welcher täglich selbst nachsah, damit die Arbeiter die Herstellung der Säle für seine neue Lehranstalt eifrig förderten. Der von Heidelberg vertriebene kurfürstliche Hofprediger Tossanus stand bei ihm. Dieser kannte den wallonischen Prediger von Schönau längst und stellte ihn dem Pfalzgrafen vor. Casimir empfing ihn freundlich, hörte sein Bitte um Schutz und Aufnahme für sich und seine treue Gemeinde gütig an und sagte dann: „Mein Herr Bruder verfährt hart mit euch armen Leuten, Gott verzeih' es ihm! Ich möchte nicht das nämliche gegen die Lutherischen in meinem Lande thun, obwohl ich dasselbe Recht dazu hätte."

So dachte Johann Casimir damals noch, und redete manches Wort darüber, wie die beiden evangelischen Confessionen in Eintracht neben einander bestehen und sich in einzelnen Artikeln der Lehre friedlich verständigen könnten, ohne das Wort Gottes zu schwächen oder gar zu verfälschen, ohne den ewigen Grund des evangelisch-christlichen Glaubens zu verlassen. Und doch war derselbe Pfalzgraf Casimir schon nach fünf Jahren nicht mehr ganz derselbe Mann. Denn als er nach dem Tode seines Bruders, des Kurfürsten, die Vormundschaft über dessen unmündigen Sohn führte, ließ er nicht nur diesen in der reformirten Lehre erziehen, sondern er führte auch mit derselben Strenge und Härte die reformirte Confession wieder in der Pfalz ein, mit welcher vorher sein Bruder Ludwig VI. die lutherische begünstigt hatte.

Clignet war noch nicht am Ziele seiner Wünsche, obgleich der Pfalzgraf sein Mitleid mit ihm und seiner Gemeinde geäußert hatte. Der Fürst stand nämlich eine Zeit lang nachdenklich, dann hob er das gesenkte Haupt wieder, sah den harrenden Geistlichen fast traurig an und sprach: „Herr Prediger, euer Schicksal geht mir nahe, aber ich weiß nicht, an welchem Ort in meinem Lande ich eine ganze Gemeinde unterbringen könnte.

Die Klöster Frankenthal und St. Lambrecht sind bereits euern Landsleuten und den französischen Flüchtlingen eingeräumt, wo sollt' ich euch eine Stätte anweisen? Aufnehmen will ich euch alle herzlich gern, aber es bleibt dann nichts anderes übrig, als daß ihr euch trennet und eure Wohnungen in verschiedenen Städten und Orten aufschlaget."

Clignet ward bleich, und durch seine Glieder lief ein leises Zittern. Mit bebender Stimme sagte er: „Durchlauchtigster Herr, mir bricht das Herz, wenn ich an eine solche Trennung denke. So viele Jahre hindurch haben wir gemeinsam geduldet und getragen und uns gegenseitig aufgerichtet, und nun sollten wir auseinandergehen und in der Zerstreuung wohnen? Bedenket, durchlauchtigster Herr, wie schwer uns das fallen müßte, wenn wir auch noch so freundlich aufgenommen würden: verstehen und sprechen wir ja nicht einmal die Sprache derer, unter welchen wir auf solche Weise zerstreut leben müßten. Habt Ihr denn nicht noch irgend einen stillen Winkel, wo wir endlich einmal zur Ruhe kommen und miteinander unsere Geschäfte in Frieden treiben könnten?"

Der Herzog zuckte die Achseln. „Ich weiß keinen;" erwiderte er: „zwar hab' ich der stillen Thäler genug, aber ich müßte das Obdach für eine Gemeinde aus der Erde stampfen können, wenn ich euch ein solches zusagen wollte."

Jetzt nahm der ehemalige Hofprediger Tossanus

das Wort und sagte: „Haltet zu Gnaden, durchlauchtigster Herr, Ihr habt außer Frankenthal und St. Lambrecht noch ein Kloster, das sich vielleicht zum Wohnsitze für eine solche Gemeinde eignete."

Der Herzog sah ihn fragend an.

„Das Kloster bei Kaiserslautern meine ich," versetzte Doctor Tossanus.

Es war, als blitzte mit diesen Worten ein neuer Gedanke in dem Pfalzgrafen auf. „Ihr habt Recht, Herr Doctor!" rief er aus. „Ich muß mir das überlegen, Herr Prediger," sagte er zu Clignet gewendet: „kommet in einiger Zeit wieder, ich will unterdessen mit mir zu Rathe gehen."

„Ich habe nur noch vierzehn Tage Frist," erwiderte Clignet kleinlaut.

„Ihr sollt noch früher wissen, woran ihr seid," sagte Casimir. Uebrigens verlasset euch auf mich, und wenn mein Herr Bruder euch vertreiben will, ehe ihr wisset, wo ihr eine bleibende Stätte findet, lasset es mich nur wissen, und ziehet getrost herüber über den Rhein, ich werde Rath schaffen. Damit Gott befohlen!"

Clignet drückte mit wenigen herzlichen Worten seinen Dank aus, und verabschiedete sich mit wesentlich erleichtertem Herzen.

Sein nächster Gang führte ihn thaleinwärts an der Ruine des alten Schlosses Wolfsberg vorüber. Das Kloster St. Lambrecht war sein Ziel. Dort wollte er seine Landsleute, seine Glaubens- und Leidensgenossen besuchen, die seit beinahe zwei Jahren hier ihre Zufluchtsstätte gefunden. Das schöne Thal, die liebliche Lage des Klosters mit seiner hohen gothischen Kirche erinnerten ihn lebhaft an das friedliche Schönauer Thal, und durch seine Seele zogen so schmerzliche Empfindungen, daß er sich beim Andenken an das Thal von Schönau der Thränen kaum erwehren konnte. Wer mag's ihm verdenken? Wir Menschen von heute, die wir so ruhig leben und nur reden, wo unsre Väter um ihres Glaubens willen kämpfen und leiden mußten, verstehen diese Thränen kaum. Unsere Worte wiegen gar leicht im Vergleich mit einer solchen Thräne.

Wie in Schönau, so war in und um das Kloster St. Lambrecht an die Stelle der früheren klösterlichen Stille bereits ein bewegteres Leben getreten. Die Webstühle der Tuchmacher knarrten laut in den Zellen, deren Wände früher nur die leisen Gebete der Benedictiner-Nonnen gehört hatten. Andere Gewerke verursachten anderes Geräusch, und das Picken der Maurer und die Axtschläge der Zimmerleute bewiesen, daß die neue Colonie mehr Raum und darum neue Häuser und Hütten brauchte. Clignet überzeugte sich auf den ersten Blick, daß hier kein Raum mehr sei für seine Gemeinde. Das berührte ihn wohl schmerzlich, und doch freute er sich wieder des Friedens und des neuen Lebens seiner Glaubensbrüder, die erst seit kurzem sich hier angesiedelt hatten. Er bat in seinem Herzen, Gott möge sie vor neuen Heimsuchungen bewahren, wie sie über ihn und seine Gemeinde gekommen. Der kurze Umgang mit den Genossen seines Glaubens und seiner Leiden, die noch dazu meist wallonischer Abkunft waren, wie er selbst, wirkte in der That stärkend und erhebend auf sein Gemüth. Der wahrhaft Gläubige kann ja nicht lange niedergedrückt bleiben, das Licht des Trostes geht immer wieder auf, sobald er die Spuren dessen wieder siehet, der die Seinen wunderlich führet, ohne dessen Willen aber kein Haar von unserm Haupte fällt.

Während Clignet die schöne gothische Kirche betrachtete, sammelte sich nach und nach fast die ganze Bewohnerschaft des Klosters und der neu entstandenen Häuschen um ihn, und des Fragens und Erzählens wurde viel. Man schien sich gegenseitig an einander aufzurichten. Besonders tröstlich waren die Augenblicke für unsern guten Pfarrer und seine beiden Begleiter, die mit ihm nach St. Lambrecht gegangen waren. Die Theilnahme, welche die Landsleute an dem Geschicke ihrer Schönauer Brüder bewiesen, that den Herzen der drei Männer überaus wohl. Sie ersahen daraus wiederholt, daß sie auch von den Menschen nicht geradezu verlassen waren.

Als der Pfarrer tief im Gespräche begriffen war, trat ein ältlicher Mann, der nurmehr einen Arm hatte, zu einem der beiden Schönauer Abgesandten und fragte ihn leise: „Wie ist der Name euers Pfarrers?"

11

„Clignet heißt er," antwortete jener.

„Clignet — Clignet!" sprach der Mann nachdenklich vor sich hin, als besinne er sich auf etwas. „Der Name ist mir auch in Frankreich vorgekommen. Da ist bei der Bluthochzeit ein wackerer Knabe gefallen, von dem viel geredet wurde, der hieß Paul Clignet."

„Paul Clignet saget ihr?" rief der Schönauer erschreckt.

Der Ausruf war zum Ohre des Vaters gedrungen. Rasch wendete er sich um und sagte bewegt: „Wer spricht von meinem Kinde?"

„Herr Pfarrer," sprach der Schönauer: „dieser Mann da will in Frankreich von einem Knaben Namens Paul Clignet gehört haben.

„Das ist mein Sohn!" rief der Geistliche, und stand in demselben Augenblicke vor dem einarmigen Manne. Sein ganzer Körper zitterte, sein Angesicht war bleich. „Schnell," rief er: „schnell saget mir, was ihr von ihm wisset."

„Ehrwürdiger Herr," versetzte der Hugenotte halb verlegen: „gesehen habe ich den Knaben nicht, nur von ihm gehört. Ich habe in meinem Vaterlande Frankreich mitgekämpft gegen die Verfolger unseres Glaubens und war auch zur Zeit der Bluthochzeit in Paris. In jener Schreckensnacht sind viele unsrer Edelleute gefallen, mit einem derselben ein Knabe Namens Paul Clignet, und zwar in dem Hause des Admirals Coligny, den sie gegen die Mörder schützen wollten. So haben meine Cameraden erzählt und den Muth und die Treue des Knaben gelobt."

„Ihr habt ihn nicht gesehen? Ihr wißt nicht mehr von ihm?" sprach der Pfarrer mit einem Blicke, als wolle er in der Seele des Mannes lesen. „O ich bitte Euch um Gottes willen, saget mir alles, was Ihr von dem Knaben wisset, denn er war doch wohl mein Kind."

„Ich weiß nicht mehr," sagte der Hugenotte.

„Also todt!" sprach der Pfarrer ruhig, aber doch nicht ohne einen Seufzer. Er selbst hatte sich längst mit dem Gedanken vertraut gemacht, aber er gedachte in diesem Augenblicke an die Hoffnung seiner greisen Mutter und wie sie mit ihren Worten nicht selten auch in ihm und seinem Weibe noch einen solchen Hoffnungsgedanken erweckt hatte. Damit war es nun auch aus und er hatte eine Botschaft heimzubringen, welche die vielgeprüfte Familie wieder um eine Hoffnung ärmer machte. Es fiel ihm gar nicht ein, daran zu zweifeln, daß der Paul Clignet, von welchem der Hugenotte gehört haben wollte, sein verlorenes Kind sei, obgleich er dafür in keiner Art einen bestimmten Beweis hatte. Ja er fand sogar einen gewissen Trost darin, daß er nun wußte, was aus seinem Sohne geworden sei, und glaubte damit auch seine Gattin noch mehr beruhigen und trösten zu können. Der Gedanke, daß sein Paul aus der Höhle so wunderbar geführt worden und im Kampfe um seinen

Glauben gefallen sei, hatte selbst etwas erhebendes für ihn, obwohl er die Trauer seines Herzens nicht ganz besiegen konnte. Am wehesten that es ihm, daß er nichts näheres über das Schicksal seines Kindes erfahren konnte. Und so verließ er denn mit seinen beiden Begleitern die Brüder in St. Lambrecht mit einem Herzen, von dem er selbst nicht sagen konnte, ob es leichter oder schwerer geworden.

Fünftes Kapitel.

Der geheime Rath.

Sie suchen falsche Sachen wider die Stillen im Lande. Psalm 35, 20.

Während Clignet auf dem linken Ufer des Rheines eine Zufluchtsstätte für seine bedrängte Gemeinde suchte, saß eines Abends die Kurfürstin Elisabeth in ihrem schönen Gemache, das aber so einfach möblirt und verziert war, daß die halbweg vornehmen Leute unserer Tage solche bescheidene Einfachheit kaum begreifen könnten. Vor ihr lag die Bibel aufgeschlagen, und obwohl sie in ihren Sessel zurückgelehnt war und eben nicht in dem Buche las, so war der Zeigefinger ihrer linken Hand doch fest auf eine Stelle desselben gedrückt. Durch das

Zimmer aber schritt ihr Gemahl, Kurfürst Ludwig VI. Er hatte das Haupt vorwärts geneigt und die Hände auf dem Rücken gekreuzt. Offenbar war schon ein Gespräch vorangegangen und darauf wieder eine Pause eingetreten, denn beide schwiegen eine geraume Zeit. Plötzlich aber hielt der Kurfürst in seinem Auf- und Abschreiten inne und sagte: „Elsbeth, saget, was Ihr wollet, ich kann es nicht für gut und heilsam halten, daß diese braven, fleißigen, ja laßt mich sagen frommen Leute außer Landes sollen. Es schadet dem Lande und bringt Erbitterung in die Gemüther."

„Es thut mir auch leid," versetzte die Kurfürstin in einem Tone, der viel milder klang als sonst: „was ist aber zu thun? Wollet Ihr mit diesen Wallonen eine Ausnahme machen? Dann nehmet nur gleich Eure ganze Verfügung zurück und saget, was den einen recht sei, sei den andern billig, und die Calvinisten werden Herr bleiben im Lande, und Euer eigener Glaube wird nur der geduldete sein."

Der Kurfürst schüttelte fast unwillig den Kopf und sagte: „Herr im Lande bin ich und will es mit Gottes Hilfe bleiben, so lang ich lebe. Das hat keine Noth. Aber ich möchte diese geschickten, arbeitsamen und stillen Leute im Lande behalten, und weiß doch nicht, wie ich das anfangen soll."

„Das wäre wohl wünschenswerth," versetzte die Kurfürstin: „aber es wird kein anderes Mittel geben, als daß man ihren starrsinnigen Prediger davonjagt und sie zurückhält."

„Elsbeth, wo denket Ihr hin?" rief der Kurfürst. „Diese Leute sind nicht wie das schwanke Rohr, das der Wind hin und her wehet. Es sind keine von denen, die aus purem Unglauben Lärm machen und deren Hitze dem Strohfeuer gleichet. Es sind das Leute, die im Feuerofen der Trübsal hart und fest geworden, sie fallen nicht so leicht ab, wie die Kinder des Unglaubens. Zudem haben sie mein fürstlich Wort, daß sie ungehindert ziehen dürfen, das werd' ich nimmer brechen. Wenn Ihr nichts besseres zu rathen wisset — —"

Der Kurfürst redete nicht aus, sondern schritt in seinem Gange, den er wieder durch das Zimmer gemacht, gerade zur Thüre hinaus. Er war offenbar unzufrieden, fast unwillig.

Die Kurfürstin blieb ruhig sitzen und versank auf einige Augenblicke in tiefes Sinnen.

Es ist gewiß, diese Kurfürstin Elisabeth war eine fromme Frau. Es war ihr hoch ernst um die Sache des Evangeliums, und mit Eifer suchte sie nicht nur ihr eigenes Seelenheil, sie wollte auch das anderer befördern. Leider war sie aber zu tief in die unseligen Religionsstreitigkeiten ihrer Zeit eingegangen, als daß sie hätte ein unbefangenes Urtheil haben können. Und doch ging es ihr wie so manchen Leuten in unserer Zeit, welche feindselig gegen die Glaubenslehren einer andern Confession auftreten, ohne sie recht zu kennen. Hätte sie die reformirte Auffassung der Schriftlehre besser gekannt, sie würde gefunden haben, daß lutherisch und reformirt nicht so himmelweit auseinander sind, als sie meinte, daß vielmehr diese beide Confessionen in den evangelischen Haupt- und Grundlehren mit einander übereinstimmen, und daß sie selbst in der Lehre vom heiligen Abendmahle mehr eins als verschieden sind, indem ja die innige Verbindung und Gemeinschaft mit dem Herrn beiden die Hauptsache bleibt. Hätte Elisabeth sammt so vielen ihrer Zeitgenossen das gewußt und bedacht, dann würde sie wohl mit dem ihr eigenen Eifer für die Vereinigung der beiden evangelischen Confessionen gewirkt und sicherlich mehr Segen gestiftet haben. Jedenfalls wäre Verfolgungsgeist ihr fremd geblieben. Richten wir sie indessen nicht! Sie war ein Kind ihrer Zeit, und glaubte vor Gott und ihrem Gewissen recht zu thun. Auch kam nie der Gedanke in ihr Herz, die, welche anders glauben als sie, mit Feuer und Schwert entweder zu bekehren oder zu vernichten. Und wenn wir auch die Art, wie sich ihr Glaubenseifer kund that, entschieden mißbilligen müssen, so dürfen wir doch nimmermehr jene gleichgiltige Lauheit oder Kälte gutheißen, welche zu sagen pflegt, es sei einerlei, welcherlei Glauben man habe und ob man etwas glaube oder nicht. Denn so unmöglich es ist, durch blinden, ungöttlichen Religionseifer gegen andere

Gott wohlgefällig zu werden, ebenso unmöglich ist es, ohne Glauben Gott zu gefallen.

Die Kurfürstin war mit sich selbst in schwerem Kampfe. Sie glaubte nun einmal, ihr Gemahl dürfe nicht nachgeben, und fürchtete, er werde es am Ende doch thun. Zugleich wünschte sie selbst, gerade diese glaubensstarken Wallonen und Hugenotten möchten nachgeben und lutherisch werden. Sie hoffte, die übrigen Reformirten im Lande würden daran ein Beispiel nehmen und sich um so eher fügen. Auch hätte sie darin einen neuen Triumph ihrer eigenen Kirche gesehen.

Noch saß sie, in tiefes Nachsinnen verloren, als eine ihrer Hofdamen hereintrat. „Herr von Walden," meldete diese: „befindet sich im Vorzimmer, und läßt Ew. kurfürstliche Gnaden fragen, ob er eintreten dürfe."

„Er soll kommen!" rief die Kurfürstin rasch, und nachdem sich die Hofdame entfernt hatte, trat ein stattlicher Cavalier in das Zimmer, und verbeugte sich ehrerbietig.

„Ihr seid zurück, Herr von Walden?" sprach Elisabeth. „Tretet näher und berichtet mir schnell den Erfolg Eurer Sendung. Ich hoffe, er war ein guter."

Der Cavalier trat einen Schritt näher und sagte mit einem leichten Achselzucken: „Kurfürstliche Gnaden, ich wollte, ich könnte ihn loben, ich kann es aber nicht."

„Wie? auch nichts ausgerichtet?" rief die Kurfürstin sichtbar erregt.

„Leider so viel wie nichts," versetzte Herr von Walden. „Ich begab mich auf Ew. kurfürstlichen Gnaden Befehl alsbald nach Schönau, um den wallonischen Prediger zu sprechen, erfuhr aber, er sei verreist, und zwar über den Rhein. Indeß ging ich doch nach seiner Wohnung. Ich dachte, mit den Frauen ließe sich vielleicht am ersten reden. Da traf ich denn zuerst mit der Pflegetochter des Predigers, einem jungen bildschönem Mädchen zusammen. Mit dieser ließ ich mich in ein Gespräch ein, und da ich sah, daß sie schüchtern und verlegen war, hoffte ich sie zu bestimmen, daß sie ihren Pflegevater bitte, sich dem landesherrlichen Willen zu fügen. Als ich aber auf dieses Kapitel kam, fand ich sie, trotz ihrem bescheidenen Wesen, eisenfest. Sie sagte, sie könne und werde das nicht thun. Ich versprach ihr so zu sagen goldene Berge. Ich ließ sie merken, Ew. kurfürstlichen Gnaden würden sie an Hof nehmen und sie sehr anständig, ja glänzend versorgen, das war aber, als ob ich zu einer Bildsäule von Stein redete. Das schöne Kind scheint gar keinen Sinn für solches Glück und solch hohe Ehre zu haben Es sagte mir rund heraus, es danke für jede Ehre und glänzende Versorgung, denn es werde seine Pflegeältern nimmermehr verlassen und lieber ins äußerste Elend mit ihnen gehen, als auf solche Weise ein irdisches Glück erkaufen. Ich ließ endlich die Drohung durchblicken, ihr Pflegevater könne noch als landesgefährlicher Unruhestifter eingezogen werden, aber selbst das wollte nicht verfangen. Sie sagte darauf nur: Wir stehen in Gottes Hand und werden tragen, was diese Hand uns auferlegt; aber ein Unruhestifter ist mein guter Vater nicht, und wenn ihm der Herr Kurfürst ein Leid thut, so mag er es vor Gott einstens verantworten. So, meine Gnädigste, reden schon die Jungen. Ich ließ mich aber noch nicht abschrecken, sondern ging auch zur Frau des Predigers. Da war aber die blinde Alte, und diese hat mir in der That warm gemacht. Die ist bibelfest, wie ein Superintendet, und hat mich geradezu einen Versucher genannt. Des Predigers Frau scheint ein weiches Gemüth zu haben, sie hatte nur Thränen, und doch irrte ich mich, als ich meinte, sie würde sich bereden oder durch Drohungen schrecken lassen. Sie blieb einfach bei dem stehen, was die blinde Großmutter sagte. Da ist an kein Nachgeben zu denken."

Die Kurfürstin erhob sich. „Sie müssen fort," sagte sie fest und bestimmt: „fort so schnell als möglich, wenn größeres Unheil verhütet werden soll."

„Wenn man den Prediger mit seiner Familie in aller Stille über die Grenze schaffen könnte," versetzte Herr v. Walden: „so wäre schon viel gewonnen. Ohne ihn würde sich die Gemeinde vielleicht eines besseren besinnen."

„Wie soll man das anfangen?" sprach die Kurfürstin. „Er hat wenigstens noch zwei Wochen Frist, und Ihr werdet sehen, wenn diese abgelaufen ist, zieht die ganze hartnäckige Schaar mit ihm von dannen und macht noch viel Lärm und Aufsehen im Lande. Und mein Gemahl wird darob sauer sehen."

„Ein wenig Gewalt würde vielleicht" — —

Elisabeth ließ den Cavalier nicht ausreden: „Gewalt?" sagte sie: „nein, Herr von Walden, das sei ferne! Wir würden uns am Ende gar versündigen und das Uebel nur noch ärger machen."

„Ich meine nicht gerade so," versetzte der glatte Hofmann einlenkend: „ich dachte nur, man sollte dem halsstarrigen Prädicanten zeigen, daß es Gesetze gibt, nach welchen die Aufhetzer und Unruhstifter im Lande bestraft werden. Vielleicht würde er sich von selbst schneller davon machen, denn ein großer Held scheint er mir nicht gerade zu sein."

„Erkläret Euch näher, wie Ihr das eigentlich meinet," sagte die Kurfürstin mit einem forschenden Blicke.

„Es ist nicht zu läugnen," erklärte Herr v. Walden: „daß der Prädicant der Wallonen durch sein Benehmen nicht nur seine Gemeinde zur offenen Auflehnung verleitet, sondern auch anderwärts böses Blut gegen die allergnädigsten kurfürstlichen Befehle erregt. Noch jüngst, als er mit seiner Deputation hier auf dem Schlosse war, ist ein großer Theil der Heidelberger Bürgerschaft in ziemliche Aufregung gerathen. Gegenwärtig treibt er sich wieder anderwärts herum, und wird wohl auch nichts anderes stiften, als Erbitterung und Unruhe. Zuletzt wird er, wie Ew. kurfürstlichen Gnaden bereits bemerkt haben, mit seiner ganzen Gemeinde ausziehen und dadurch großen Allarm erregen."

„Das muß verhütet werden!" fiel die Kurfürstin rasch ein.

„Eben darum," fuhr Walden fort: „wäre es meine unvorgreifliche Meinung, man müsse den Mann früher zum Abzuge bewegen. Freiwillig wird er nicht früher gehen. Wenn man ihm aber unter die Füße legt, daß er leicht zur Verantwortung gezogen werden könnte für alles, was schon geschehen ist und noch geschehen dürfte, so möchte das schon von Wirkung sein."

„So übernehmet Ihr das!" sprach Elisabeth: „Versuchet es, ihn mit seiner Familie zu schnellem Abzuge zu bewegen."

„Ich stehe Ew. kurfürstlichen Gnaden zu Befehl," versetzte v. Walden mit einer tiefen Verbeugung. „Nur etwas bedürfte ich dazu noch, nämlich eine fürstliche Vollmacht, im rechten Augenblicke auch handelnd einzuschreiten, wenn es etwa noth thun sollte."

„Aber keine Gewalt!" sagte die Kurfürstin ernst. „Höret Ihr es, Herr von Walden? keine Gewalt!"

„Behüte der Himmel!" versetzte der Hofmann mit einem Bückling.

„Nun denn, ich will mit meinem Gemahl darüber reden. Morgen in der Frühe sollt Ihr das weitere erfahren."

Mit diesen Worten entließ die Fürstin den Cavalier. Dieser entfernte sich unter tiefen Verbeugungen. Sie selbst aber schickte sich an, den Kurfürsten aufzusuchen.

Und so hatte es den Anschein, als solle an diesem Abende noch ein neues Trübsalswetter über dem Haupte und Hause des armen, vielgeprüften Predigers Clignet sich zusammen ziehen.

Sechstes Kapitel.

Die Warnung.

Ich will Gottes Wort rühmen, auf Gott will ich hoffen und mich nicht fürchten; was sollte mir Fleisch thun? Psalm 56, 5.

Ohne das mindeste zu ahnen von dem neuen Sturme, der sich gegen ihn erheben sollte, eilte Clignet mit seinen beiden Begleitern dem Rheine zu, um wieder in die Heimath zu kommen, die leider in kurzer Frist nicht mehr seine Heimath sein sollte. Wie hätte der gute Mann auch denken sollen, daß man ihn ernstlich für einen Aufhetzer und Unruhstifter erklären werde? Hatte er ja doch bisher still seines Glaubens gelebt und seine Gemeinde ermahnt, den Frieden Gottes in Christo zu suchen und, so viel an ihr sei, Frieden zu halten mit jedermann. Es war dem bescheidenen Manne nie das eitle Gelüste gekommen, sich in den religiösen Streitigkeiten vor der Welt besonders hervorzuthun und seine Gemeinde in dieselben hineinzuziehen. Er wollle keine Stürme erregen, am allerwenigsten gegen die Grundwahrheiten des göttlichen Wortes, nicht einmal gegen Menschen, welche dieselben verkannten. Wo aber ein Sturm ihn und seine Gemeinde traf, da stand er fest und befestigte wieder andere. Da mahnte er: Halte, was du hast, daß niemand deine Krone nehme! Und wie er das Evangelium allenthalben als die Kraft Gottes betrachtete, selig zu machen alle, die daran glauben, so hielt er es auch für lebendig und kräftig genug, gegen jeden Sturm zu bestehen und bestehen zu machen. Der Glaube daran galt ihm als der Sieg, der die Welt überwindet und in diesem Glauben konnte er andere Mittel und Waffen wohl entbehren.

Darüber kam also weiter kein Gedanke noch weniger eine Unruhe in seine Seele. Denn wo er sich frei von Schuld wußte, war er allezeit getrost. Manch anderer Gedanke aber ging ihm durch den Sinn. Vor allem gedachte er jetzt seines Sohnes. Er wußte nicht, ob und wie er den Seinen die Botschaft von dem Tode desselben beibringen solle. Und doch hielt er dieß wieder für nöthig, ja für heilsam, weil er seine gebeugte Gattin zu beruhigen dachte. Hatte sie ja doch selbst geäußert, die

Ungewißheit über das Schicksal ihres Kindes sei ihr weit härter, als wenn sie dasselbe todt wüßte.

In Gedanken und selbst im Gespräche darüber hatte der Geistliche mit seinen beiden Freunden das Ufer des Rheines erreicht, und zwar an der Stelle, wo sich gegenwärtig die neu gegründete Stadt Ludwigshafen erhebt. In jener Zeit standen hier nur ein paar kleine Häuser, darunter eine Herberge, in welcher die Fuhrleute und Reisenden warteten, bis sie mit der Fähre über den Strom gesetzt werden konnten. Denn damals verband hier noch keine Brücke die beiden Ufer des Rheins. Und wenn der Blick vom linken Ufer nach dem rechten hinüberschweifte, sah er wohl Mannheim vor sich liegen; aber das war keine Stadt, sondern ein geringes Dorf. Zur Rechten dieses Dorfes spiegelten sich die Mauern und Thürme des alten festen Schlosses Eicholsheim in den Fluthen des alten, majestätischen Stromes, und etwas weiter zurück erhob sich die noch ältere Burg Rheinhausen.

Hier standen die drei Wanderer und schauten über den Strom, dessen ruhige Fluth die Strahlen der warmen Frühlingssonne blitzend zurückwarf. Clignets Auge war sehnsüchtig hinübergeflogen zu den blauen Bergen, hinter welchen Schönau lag, dann folgte es fast traurig dem Fahrzeuge, welches langsam über den Strom dahin glitt, um seine schwere Ladung am jenseitigen Ufer auszusetzen. Die Wanderer waren zu spät gekommen und mußten auf die Rückkehr der Fähre warten. Denn obwohl noch einige Kähne am Ufer lagen, so waren doch sämmtliche Schiffer auf dem stark beladenen Fahrzeuge beschäftigt. Es blieb nichts anderes übrig, als sich geduldig zu ergeben. Die drei Reisenden traten deßhalb in die am Ufer gelegene Herberge, um dort einstweilen auszuruhen.

In der niedrigen Stube saß eben nur ein einziger Gast, der Kleidung und dem sonstigen Aussehen nach ein Stadtbürger. Er trank ruhig seine Kanne Wein und schien wenig auf die neuen Ankömmlinge zu achten, doch warf er zuweilen einen flüchtigen Blick auf den Prediger. Erst als die drei Schönauer eine Zeit lang im Gespräche begriffen waren, erhob er sich, trat näher und sagte in schlechtem, gebrochenen Französisch: „Verzeihet, meine Herren, habe ich hier nicht den Herrn Prediger von Schönau vor mir?"

„Der war ich," antwortete Clignet: „ehe mich der Kurfürst meines Amtes entsetzte und mir zu predigen verbot."

„Ihr seid wohl wieder auf dem Wege nach Schönau?"

„So ist's!" erwiderte der Prediger auf die neue Frage des Fremden.

„Ehrwürdiger Herr," fuhr dieser fort: „lasset Euch warnen. Mir scheint beinahe, als wisset Ihr noch nicht, was der Kurfürst neuerdings über Euch beschlossen hat."

Clignet und seine beiden Begleiter sahen den Fremden erstaunt und fragend an.

„Es ist mir leid,“ sprach dieser: „daß ich Euch nichts gutes berichten kann, und doch wieder lieb, daß ich im Stande bin, Euch noch zur rechten Zeit zu warnen. Aus ganz guter Quelle weiß ich, daß Ihr als Unruhstifter und Aufhetzer gefänglich eingezogen werden sollet, und ich möchte Euch dringend anrathen, das jenseitige Ufer nicht mehr zu betreten. Ihr müßtet ja doch bald herüber ziehen, warum wolltet Ihr Euch der Gefahr aussetzen, vielleicht längere Zeit gefangen gehalten zu werden? Bleibet auf diesem sicheren Boden und lasset Eure Familie und Eure Gemeinde nachkommen.“

„Das walte Gott!“ sprach Clignet. „Es ist viel möglich in dieser schweren Zeit der Heimsuchung, aber daß man aus mir einen Unruhstifter und Aufhetzer mache, das wäre doch zu viel. Auch kann ich mir nicht denken, daß ein sonst so gerechter Fürst mir solch großes Unrecht zufügen werde. Sagt an, werther Herr, ist denn Eure Nachricht wirklich so sicher, oder ruht sie mehr auf Vermuthung?“

„Ihr könnt Euch fest darauf verlassen, ehrwürdiger Herr,“ versetzte der Fremde. „Ich habe sie nicht aus der Luft gegriffen. Sie kommt vom Schlosse zu Heidelberg selbst, wo ich einen vertrauten Bekannten habe Fraget mich nicht weiter über meine Person, noch über

12

andere, Ihr wißt, es ist nicht rathsam, etwas gesagt zu haben in dieser Zeit."

„Es wäre denn doch möglich," sagte der eine von Clignets Begleitern. „Ihr werdet Euch erinnern, daß Euch schon in dem letzten Schreiben ein solcher Vorwurf gemacht werden wollte. Ich möchte darum auch rathen: Bleibet diesseit des Rheins, wir aber wollen nach Schönau eilen und Euch dann Nachricht geben, wie es sich verhält. Im schlimmsten Falle werden wir sorgen, daß Eure Familie recht bald wohlbehalten bei Euch ist."

„Ehrwürdiger Herr," sprach der Fremde: „folget diesem Rathe, es wird Euch nicht gereuen."

Auch der andere seiner Begleiter stimmte lebhaft bei. Um den Mund des Pfarrers aber legte sich ein schmerzlicher Zug. Leise schüttelte er das Haupt und sprach: „Ich danke Euch, werther Herr, für Eure wohlgemeinte Warnung und euch allen für den wohlgemeinten Rath, aber befolgen kann ich ihn nicht. Ich weiß mich frei von solcher Schuld, warum sollt' ich feige aus dem Wege gehen? Ich bin es meiner Familie und meiner treuen Gemeinde schuldig, daß ich nicht zuerst an mich denke. Wenn der Hirte zuerst zaghaft wird und fliehet, was soll die Heerde denken und thun?"

„Ist es aber Eure Pflicht, die Gefahr zu suchen, ihr gerade entgegen zu gehen, wenn Ihr sie kennet?" fragte der Fremde.

„Ich bin nicht so vermessen, die Gefahr zu suchen," antwortete Clignet: „da sei Gott vor! Aber saget selbst, darf ich so muthlos meine eigene Haut wahren, wo es gilt fest zu stehen in der Trübsal und den Meinigen Trost zu bringen, der ihnen so noth thut? Ich kann immer noch nicht glauben, daß der Kurfürst so weit gehen wird, einen Mann in den Kerker zu werfen, dem er nichts vorwerfen kann, als daß er bei seinem Glauben bleiben will. Hab' ich mich nicht gehorsam dem fürstlichen Befehl gefügt? will ich mich denn auf irgend eine Weise widersetzen? Ich will ja ziehen mit den Meinen, wohin der Herr mich führet, der mich bisher mit seiner rechten Hand gehalten; nicht einmal meine Gemeinde will ich zum Abzuge verleiten, wie man es zu nennen beliebt, das weiß der allwissende Gott und die Gemeinde selbst. Soll ich aber ohne meine Schuld in noch tiefere Trübsal hinein, so geschehe des Herrn Wille an mir. Ich werde darum dennoch nicht an seiner Treue und Barmherzigkeit zweifeln. Auch bin ich gewiß, der Kurfürst wird mich nicht strafen, wo ich nichts verbrochen habe, und selbst wenn er mich gefangen setzen ließe, würde er mich bald wieder ziehen lassen."

„Ihr bauet vielleicht zu viel — —" wollte der Fremde sagen.

„Ich baue auf niemand, als auf Gott," fiel der Geistliche ihm ins Wort: „auf den aber fest und ohne Wankel."

Sowohl der Fremde als auch die beiden Begleiter Clignets machten noch einige Einwände. Die beiden letzteren hegten offenbar große Besorgniß um ihren lieben Pfarrer. Dieser aber blieb fest bei seinem Vorsatze. „Liebe Herren," sprach er zuletzt: „redet mir nicht mehr ein, ich will, ich muß noch einmal in die bisherige Heimath ziehen."

Mit diesen Worten stand er auf und blickte durch das Fenster. „Kommt, Freunde," rief er: „die Fähre wird sogleich wieder am Lande sein. Wir wollen gehen, und Gott möge uns geleiten."

Sie gingen, und der Fremde gab ihnen das Geleite bis unter die Hausthüre. Dort sagte er noch: „Ich wünsche von Herzen, daß meine Warnung unnöthig gewesen sein möchte; reiset glücklich, ihr Herren!"

Während die drei ihm den Rücken zukehrten, sah er scharf nach dem jenseitigen Ufer hinüber. Da drüben hielt ein Reiter, der auf etwas zu warten schien. Der Fremde sah ihn, zog ein weißes Tuch aus der Tasche und schwenkte es dreimal in der Luft. Siehe, da trabte der Reiter am jenseitigen Ufer rasch davon. Clignet und seine beiden Freunde sahen davon nichts. Sie ahnten auch nicht, daß der eifrige Warner ein verabredetes Spiel getrieben haben könne. Während aber ihr Kahn rasch über den Rhein dahinglitt sagte der Eine: „Ueber Heidelberg gehen wir aber nicht, ehrwürdiger

Herr, sondern über Ladenburg und von dort über die Berge hinein. Vorsicht schadet in keinem Falle.“

Siebentes Kapitel.

Die Ueberraschung.

Täglich fechten sie meine Worte an. Sie halten zu Hauf und lauern und haben Acht auf meine Fersen, wie sie meine Seele erhaschen. Psalm 56, 6. 7.

Die Dämmerung eines ungewöhnlich milden Frühlingsabendes hatte sich über den Thalkessel von Schönau gebreitet. Die Stimmen der Vögel, dieser lieblichen Boten des Frühlings, waren verstummt, dagegen tönten die Klänge einer weichen aber lieblich reinen Mädchenstimme durch die laue Luft des stillen Abendes, den bereits die hellen Sterne und die schmale Mondsichel zu verklären begannen. Es war Mariens Stimme. Sie saß am offenen Fenster und wartete mit schwerem Herzen, gleich der Mutter Elisabeth und der Großmutter Cornelia, auf die Heimkehr des Vaters. Kein Licht brannte noch im Zimmer und die immer tiefer werdenden Schatten der Dämmerung begünstigten die schwermüthigen Gedanken, welche die drei Frauen bewegten, ohne daß sie es einander mit Worten gestehen wollten. In dieser tiefen Stille hatte Marie, fast ohne es selbst zu wissen, die wehmüthige Weise eines Liedes angestimmt, zuerst ganz leise, bis allmälig die Töne lauter und klarer klangen. Sie sang:

Ach! sollt' ich fürder nicht mehr hoffen
Auf dich, dem ich bisher vertraut?
Dein Gnadenaug' steht's nicht mehr offen?
Ist mir der Weg zu dir verbaut?
Wie soll sich meine Seele fassen,
Wenn der, auf den ich mich verließ,
Mich auch verstoßen und verlassen,
Wie mich die Welt schon längst verstieß?

Der letzte Ton dieses Verses war noch nicht verklungen, die Sängerin hatte nicht Zeit die zweite Strophe zu beginnen, als sich draußen in geringer Entfernung eine tiefere, stärkere Stimme vernehmen ließ. Marie und die beiden Frauen lauschten verwundert, als die Stimme die andere Strophe des Liedes sang:

O Seele, gib dich nur zufrieden,
Dein Gott und Herr verläßt dich nicht.
Was er an Trübsal dir beschieden,
Verkehrt er bald in Freudenlicht.
O halt' im Glauben, Lieben, Hoffen
Nur eine kurze Nacht noch aus,
Des Hüters Gnadenaug' ist offen,
Und offen auch sein Vaterhaus.

„Es ist der Vater!“ riefen Marie und die Pfarrerin zugleich, und mit der Flüchtigkeit ihres Alters eilte das Mädchen der Mutter voraus, um den sehnlichst Erwarteten zu begrüßen.

Es war, als ob neuer Trost in den bekümmerten Herzen der Frauen aufblühte, sobald der Prediger nur unter das Dach getreten war. Und in der That fanden sie diesen Trost auch in dem, was er ihnen nach der ersten Begrüßung mittheilte. Es war die freundliche Zusage des Pfalzgrafen Casimir, die Clignet von Neustadt mitbrachte. Sie richtete die niedergebeugten Gemüther wesentlich auf. Indessen blieb auf beiden Seiten immer noch ein schwerer Stein auf den Herzen, welchen abzuwälzen in den ersten Augenblicken des Wiedersehens noch kein Theil sich getraute. Clignet hatte noch die immerhin erschütternde Botschaft von seines Sohnes Tode auf dem Herzen, die drei Frauen aber das, was sich während der Abwesenheit des Hausvaters zugetragen, nämlich den bedenklichen Besuch des kurfürstlichen Höflings von Walden.

Noch war also von allem dem nichts über eine Lippe gekommen, als unten im Klosterhofe Stimmen laut wurden. Nichts war natürlicher, als daß die erwartungsvolle Gemeinde aus dem Munde ihres zurückgekehrten Geistlichen den Erfolg seiner Sendung zu dem Herzoge Johann Casimir zu erfahren wünschte. Hing ja doch davon ihr künftiges Schicksal zunächst ab. Clignet, der die Ursache des Geräusches im Hofe sogleich erkannte, eilte hinab, um seiner Gemeinde zu berichten, daß er gute Botschaft von jenseit des Rheines bringe.

Der Klosterhof füllte sich mitlerweile immer mehr mit Menschen. An den Fenstern, die auf denselben herausgingen, zeigten sich die gegenwärtigen Bewohner der ehemaligen Zellen und sonstigen Räume mit einzelnen Lichtern, und so erschien der vorher in Nacht gehüllte Hofraum mit der versammelten Menschenmenge und den sie umgebenden Klostergebäuden in einer ganz eigenthümlichen Beleuchtung. Die tiefen Schatten durchschnitten da und dort scharfe Lichtstrahlen und spielten an den gegenüber liegenden Wänden und in den noch unbelaubten Zweigen einzelner hohen Bäume, die die Hofmauer überragten. Es war ungefähr gerade so viel Licht in dem ziemlich weiten Raume als in einer schwach erleuchteten Kirchenhalle, in der dicke Säulen breite Schatten werfen, aber nicht Licht genug, um den Glanz der Sterne zu verdunkeln, die von dem blauen Himmelsgewölbe strahlend niederblickten, während die schmale Mondsichel schon so tief stand, daß ihr bleiches Licht nur noch sehr geringe Wirkung äußerte.

Fast wie im Pfarrhofe zu Antwerpen stand Clignet wieder auf einer Treppe, vor ihm die harrende Gemeinde. Er fühlte sich eigenthümlich bewegt. Alles um ihn und über ihm, die Nacht und der Sternenhimmel, die eigenthümliche Beleuchtung des Ortes und das erwartungsvolle Schweigen in der Versammlung, alles ergriff ihn auf wunderbare Weise. Er hatte seit zwei Sonntagen nicht mehr predigen dürfen, und es drängte ihn hier mächtig, nicht blos Bericht über seine Sendung abzustatten, sondern auch einige Worte zur Erbauung, zum Troste und zur Aufrichtung seiner schwergeprüften aber glaubenstreuen Gemeinde zu reden. Und er that's.

„Wir haben hier keine bleibende Stadt, die zukünftige suchen wir.“ Das war das Grundwort seiner Anrede an die Versammlung. Er konnte den Zuhörern leicht zeigen, wie dies Wort jetzt auf sie passe, und knüpfte daran den Bericht über das, was der Beschützer ihres Glaubens jenseit des Rheines versprochen habe. Sodann wies er darauf hin, wie die Gnade des Herrn noch nicht aus sei, und wie die Gemeinde in dankbarer Liebe gegen ihn beharren und im Glauben an ihn die zukünftige Stadt suchen solle, nämlich das Jerusalem, das droben ist im Himmel. Mit einigen dankenden Gebetsworten schloß er seine kurze Ansprache.

Kaum hatte der Geistliche das letzte Wort gesprochen, da hob mitten in der Versammlung eine Stimme zu singen an: „Lobe den Herrn, meine Seele,“ und die ganze Gemeinde stimmte ernst und feierlich mit ein und sang die erhebenden Worte des Psalms, als wäre sie in der Kirche. Das leise Wehen der Nacht zog dabei wie der Odem Gottes über den Häuptern der ergriffenen Gemeinde hin, und rauschte in den Kronen der alten Bäume wie ferner Orgelton. — Es war eine erhebende Feier.

„Holla!“ rief plötzlich eine laute, rauhe Stimme mitten in den feierlich gedämpften Gesang hinein, und alle Sänger verstummten, und alle Augen kehrten sich nach dem offenen Thore des Klosterhofes. Dort hielt eine kleine Schaar kurfürstlicher Reiter, an ihrer Spitze Herr von Walden. Der trieb sein Pferd mitten durch die Menge, welche scheu zur Seite wich, gerade der Pforte zu, vor welcher Clignet stand.

„So respektirt man also die kurfürstlichen Befehle, Herr Prediger?“ rief der Cavalier dem Geistlichen entgegen. „Steht denn in dem Verbote geschrieben, daß Ihr blos die Kirche meiden sollt, aber unter freiem Himmel Gottesdienst halten und predigen dürfet?“

„Verzeiht, edler Herr,“ versetzte ruhig der Geistliche, der sich nach der ersten Ueberraschung schnell wieder gesammelt hatte: „es war das kein Gottesdienst, diese Leute hier waren weder zu einem solchen zusammenberufen, noch hatten sie sich zu diesem Zwecke versammelt.“

„Habe ich nicht Eure Predigt gehört?“ rief Herr v. Walden: „Bin ich nicht mitten in den Gesang hineingefahren? Ihr solltet Euch solcher Ausrede schämen.“

„Es ist weder eine Ausrede, noch schäme ich mich meiner Worte,“ sprach der Prediger ernst und mit Nachdruck. „Ich wiederhole vielmehr, daß keine gottesdienstliche Versammlung beabsichtigt war. Diese Leute kamen ungerufen, um zu erfahren, welche Nachricht ich ihnen von Neustadt bringe. Wenn ihr meine Ansprache gehört habt, so werdet Ihr selbst bezeugen müssen, daß ich ihnen solche verkündigt habe. Daß ich es in meiner Weise als Geistlicher gethan, das läugne ich nicht und schäme mich dessen nicht; daß die Zuhörer den Herrn darob laut lobten, wird ihnen hoffentlich kein Christ zum Verbrechen machen wollen."

Als Herr v. Walden hierauf seine Stimme wieder barsch gegen den Prediger erhob, lief ein dumpfes Murren durch die ganze Versammlung. Clignet reckte die rechte Hand empor, und sagte in seiner gewöhnlichen sanften Weise: „Ruhig meine Freunde!" Augenblicklich trat die tiefste Stille ein. Hierauf wandte er sich an Herrn v. Walden mit den Worten: „Edler Herr, Euer später Besuch gilt doch wohl nur meiner Person. Seid so gütig und lasset diese friedlichen Leute ruhig nach Hause gehen. Sollte ein Fehler gegen kurfürstlichen Befehl begangen worden sein, lasset mich allein die Folgen tragen."

„Sie mögen gehen und sich ruhig verhalten," sprach Herr v. Walden laut: „denn die geringste Widersetzlichkeit würde die bittersten Folgen haben. Wenn die Gemeinde ruhig bleibt, wird mein gnädigster Herr sie schützen und ihr sein Wort treulich halten."

Die Versammlung schien indeß nicht Lust zu haben, sich zu entfernen. Erst als Clignet ihr noch einmal freundlich zuredete und sie ermahnte zu vertrauen, ging sie still auseinander. Die Herzen aber waren voll Sorge um den Prediger.

Die Gemeinde hatte sich entfernt, die Reiter hielten Thor und Hof besetzt, Herr v. Walden aber stieg vom Pferde und sagte etwas milder als vorher: „Herr Prediger, führet mich in Euer Zimmer, ich habe im Namen des Kurfürsten mit Euch zu reden."

Clignet gehorchte schweigend. Im Vorübergehen drückte er seiner weinenden Gattin und seiner Pflegetochter die Hand und sagte leise: „Getrost!" Lauter fügte er hinzu: „Marie, Licht in mein Zimmer!" Der Cavalier grüßte die Frauen einfach aber nicht unfreundlich, und schritt hinter der voranleuchtenden Jungfrau in das Studirzimmer des Pfarrers.

Die Unterredung der beiden Männer dauerte ziemlich lange. Clignet ersah daraus, daß Herr v. Walden ihn wegen Widersetzlichkeit gegen die fürstlichen Befehle verhaften und gefangen nach Heidelberg führen werde, wenn er sich nicht darein fügen wolle, das Land freiwillig, und zwar so schnell als möglich, zu verlassen. Zugleich erfuhr er, der Kurfürst werde nimmermehr zugeben, daß der Prediger mit der gesammten Gemeinde in öffentlichem, feierlichem Zuge ausziehe, weil dadurch nur Aufsehen und Unruhe im Lande erregt würde. Anfangs war der Geistliche entschlossen, alles, selbst das äußerste, über sich ergehen zu lassen. Herr v. Walden aber redete ihm ernstlich ein und suchte ihm zu beweisen, daß er nur sich und seine Gemeinde in große Ungelegenheiten bringen könne, wenn er sich nicht füge. Nach allem, was geschehen war, konnte Clignet sich das selbst nicht mehr verhehlen. Er bat darum nur noch um die Erlaubniß, sich mit seiner Familie und den Vorstehern seiner Gemeinde kurz zu berathen. Auch das gestand ihm Walden nach einigem Bedenken zu. Die Vorsteher wurden schleunig in die Pfarrwohnung beschieden, und ihre so wie die Stimmen der neuerdings geängstigten Frauen bestimmten den Prediger, dem Befehle Folge zu leisten. Sagte doch selbst die so ruhige und gefaßte Mutter Cornelia: „Es ist ja doch nicht anders, laßt uns ziehen!"

Niemand war zufriedener, als Herr v. Walden. Er hatte seinen Auftrag glücklich vollführt, und zwar, wie er meinte, wirklich ohne Anwendung von Gewalt. Von den Vorstehern ließ er sich das Wort geben, daß sie erst morgen am Tage der Gemeinde von dem Abzuge des Predigers Kunde geben und für die ruhige Haltung derselben bürgen wollten. Hierauf verabschiedete er sich freundlich, und die Gemeindeglieder, welche einzeln noch ihr Augenmerk auf die Pforte des Klosterhofes gerichtet hatten, sahen ihn ohne den Pfarrer mit seinen Reitern von dannen ziehen. —

Am Morgen nach dieser schweren Nacht, als eben der Tag zu grauen begann, glitt ein kleines Schifflein den Neckar hinab an der Stadt Heidelberg vorüber. Der Prediger mit den drei Frauen saß darin, die Herzen voll Weh, die Augen voll Thränen. Außer den Ruderern waren noch vier treue Männer der wallonischen Gemeinde dabei, die noch nichts von der Entfernung ihres Geistlichen ahnte. Als das Fahrzeug den Neckar hinter sich und den Rhein quer durchschnitten hatte, stieg Clignet zuerst auf das linke Rheinufer. Die Sonne war eben freundlich aufgegangen. „Herr Gott, bringe uns wieder zusammen, daß wir danken deinem Namen und rühmen dein Lob," sprach der Prediger laut.

Kurze Zeit darauf war die kleine Caravane auf dem Wege nach Frankenthal, wo Clignet mit den Seinen zunächst bei seinen Glaubensbrüdern und Freunden verweilen wollte, bis ihr ferneres Schicksal entschieden wäre.

Achtes Kapitel.

Die Erzählung des alten Simon.

> Ich ging vor dir über und sah dich in deinem Blute liegen und sprach zu dir, da du so in deinem Blut lagest: du sollst leben! Hes. 15, 6.

Etwa drei Stunden nördlich von der Stadt Kaiserslautern liegt in einem weiten von niederen Hügeln umschlossenen Grunde das Dorf Schalodenbach, vor Zeiten auch ein Rittersitz, im sechzehnten Jahrhunderte aber

Hauptort der sickingischen Herrschaft Schalodenbach. Die Burg Odenbach stand jedoch nicht, wie die Schlösser anderer Edeln auf einer freien Höhe, sondern mitten in der Tiefe des Thalgrundes. Dennoch war sie sehr fest, und vergeblich versuchten im Jahre 1525 die aufrührerischen Bauern sie zu brechen, ihr Sturm wurde siegreich abgeschlagen. Und doch hat auch diese Burg späteren Stürmen nicht widerstehen können, sie ist fast spurlos verschwunden. Vor wenigen Jahren ward der letzte massive Thurm des alten Gebäudes bis auf die Grundmauern abgebrochen, und selbst das später aufgebaute sickingische Schlößchen ist eine traurige Ruine geworden, in der einige arme Familien ihren Wohnsitz aufgeschlagen haben.

Im Sommer des Jahres 1579 war es in der sonst ziemlich einsamen alten Burg auf kurze Zeit sehr lebendig. Ein junger Sickingen, Urenkel des berühmten Franz v. Sickingen, war von Zweibrücken, wo er sich am herzoglichen Hof aufgehalten, mit einigen Freunden nach Schalodenbach gekommen, um die Freuden der Jagd in den bedeutenden Wäldern und der Fischerei in den großen Teichen des Thales zu genießen. Unter den Fremden waren zwei junge Männer aus Frankreich, welche die Dienerschaft nur die beiden Hugenotten nannte. Es hieß, sie wollten von Zweibrücken an den Hof des Pfalzgrafen Casimir reisen. Der einzige Diener, den sie mit sich führten, war ein alter Mann mit weißem Haare, von Geburt ein Deutscher, doch sprach er seine Muttersprache nicht mehr viel besser, als wenn er ein geborner Franzose gewesen wäre und später erst deutsch gelernt hätte. Sein gebrochenes Deutsch belustigte die übrige Dienerschaft nicht wenig, daß er aber deutsch sprach, war ein großer Trost für sie, denn sonst hätte ihn kein Mensch verstanden und die leidige Neugier würde manchem beinahe das Herz abgedrückt haben. Gab es ja doch von Frankreich gerade so viel zu erzählen.

Während die Herren in dem sogenannten Saal der Burg beim Mittagsmahle saßen, waren die Diener in einer ziemlich geräumigen gewölbten Halle versammelt, die zugleich als Küche und Gesindestube galt. Sie waren in dem nämlichen Geschäfte begriffen, wie die Herren, und als der erste Sturm auf die vollen Schüsseln vorüber war, nahm einer das Wort und sagte: „Herr Deutschfranzos, Ihr seid uns noch ein großes Stück Eurer Erzählung schuldig, jetzt wäre die schönste Gelegenheit, die Sache zu Ende zu führen. Ihr hattet abgebrochen mitten in der schrecklichen Bartholomäusnacht."

„O daß ich nicht mehr an jene Schreckensnacht denken müßte!" begann der Alte: „aber ich kann sie ewig nicht vergessen. Ich hatte den Knaben ausgehen lassen, meinen Herrn zu suchen, weil er sich so sehr um denselben ängstigte, und nun tobte plötzlich der Mord durch alle Straßen, und weder der Knabe noch Herr v. Sevre waren zurückgekommen. Mein Entsetzen, ja meine Verzweiflung könnt ihr euch nicht vorstellen. Ich weckte die zwei andern Diener, ließ den einen zur Bewachung des Hauses zurück, und stürzte mit dem andern hinaus, um meinen Herrn aufzusuchen. Wir waren beide wohl bewaffnet, aber was konnte das helfen? Die zahlreichen und wohl vorbereiteten Feinde hieben und schossen in wahrhaft trunkener Wuth jeden nieder, der nicht ihr Zeichen, nämlich das weiße Kreuz, an sich trug. Da konnte nur List helfen. Schnell zog ich mich mit meinem Begleiter wieder in unsere Wohnung zurück, und ehe eine Viertelstunde verging, hatten wir uns weiße Kreuze angeheftet und waren wieder daußen mitten im Gewühle. O der Anblick war entsetzlich! Ich bin in Frankreich alt geworden und habe manch Blutbad mit angesehen und durchgemacht, aber solch gräßliches Schlachten hatte ich noch nie gesehen. Wir suchten nur vorwärts zu kommen, denn mein Ziel war die Wohnung des Admirals. Ich wußte, daß mein Herr jedenfalls zu diesem eilen würde. Er war ja nur in Paris geblieben, um zum Schutze desselben zur Hand zu sein. Glücklich erreichten wir auch das Haus, aber dort war leider schon alles vorbei. Coligny's verstümmelte Leiche hatten die Mörder zum Fenster hinaus gestürzt, die meines Herrn lag zerfetzt und zertreten in einem Vorzimmer und nicht weit davon der kleine Paul. Der Junge hatte den Degen noch fest in der Hand. Wie mir altem Kerl da war, nein, das kann kein Mensch sich denken. Ich hätte heulen mögen wie ein Kind, und doch war dazu nicht Zeit.

Ich dachte jetzt nur daran, wie es möglich wäre, die beiden Leichen beiseite zu schaffen, ohne daß es ein Mensch merkte. Wir warteten ab, bis das Mordgewühl sich noch weiter in die Ferne gezogen hatte, und schleppten dann die Leichen, so gut als möglich verhüllt, in unsere Wohnung. Aber wie war die zugerichtet! Der, den ich als Wächter zurückgelassen, lag todt auf der Schwelle, alles war entweder zerschlagen oder geraubt. Wir verbargen uns mit unsern Todten in der Wüstenei den kommenden Schreckenstag hindurch bis wieder die Nacht kam, immer in Gefahr, nochmals überfallen zu werden. Während dieser entsetzlichen Zeit wollte es mir einmal vorkommen, als sei noch Leben in dem Knaben, und in der That es war so. Jetzt galt's, den wieder zum Leben und in Sicherheit zu bringen, denn mit Herrn v. Sevre war es leider für immer aus. Das erstere gelang uns nach angestrengten Bemühungen, das letztere hatte schon größere Schwierigkeit. Und doch war ich bei aller Sorge und Betrübniß ganz glücklich, daß der Knabe wieder lebte. Eine Bäuerin, die täglich mit Milch und mit andern Lebensmitteln vom Lande kam, und die ich bereits kannte, mußte uns dazu behilflich sein. Auf ihrem Karren, zu dem sie selber das Pferd abgab, brachte sie den Lebendigen und sogar den Todten unbemerkt aus dem Thore der Stadt, und wir beide flüchteten ebenfalls, ohne ertappt zu werden."

„In dem Hause der mitleidigen Bäuerin wurde

Paul untergebracht und wirklich recht sorgsam verpflegt. Ich muß sagen, diese Katholikin, die solche Samariterdienste an uns that, und zwar mit Gefahr ihres eigenen Lebens, hat mich in mancher Hinsicht wieder versöhnt. Meinen Kameraden ließ ich einstweilen dort bei dem Knaben und er galt als Knecht im Hause. Ich selbst machte mich auf, um meiner unglücklichen Herrin die Trauerbotschaft zu bringen. Gern hätte ich den Leichnam meines Herrn mitgenommen, um ihn in der Gruft seines Schlosses beizusetzen, aber das war keine Möglichkeit mehr. Ich hatte ihn in der Stille der Nacht im nahen Walde unter einer alten Eiche mit Thränen begraben und war dann behutsam auf Nebenwegen glücklich an das Ufer der Loire gelangt. Auf meinem ganzen Wege aber hatte ich nur gräuliche Spuren der Verwüstung gesehen. Der Mord, der in Paris so schauderhaft begonnen hatte, war auf königlichen Befehl in den Provinzen fortgesetzt worden. Ich kam an das Flüßchen Sevre und in die Nähe unseres schönen Schlosses, und alles, was ich umher sah, ließ mich nichts gutes ahnen. Ich fand das Schloß zerstört, die schönen Gärten verwüstet. O ich hätte auf den Trümmern sterben mögen vor Leid. Indeß mußte ich nach la Rochelle eilen, denn nur dorthin konnte Frau v. Sevre mit ihrem Sohne sich geflüchtet haben, wenn sie noch am Leben waren. Ich fand sie dort im Hause ihres Schwagers Renaud, aber krank. Die Kunde von der Pariser Mordnacht war meinen alten Beinen längst vorangeeilt, und die gute Dame hatte im ersten Augenblicke schon die Hoffnung aufgegeben, ihren Gemahl wiederzusehen. Sie wußte ja, daß er mit dem Admiral Coligny leben oder sterben würde. Es war eine Zeit unsäglichen Jammers und tiefer Trauer."

„Mittlerweile rückte das feindliche Heer wieder vor die feste Stadt, um diese letzte Schutzwehr der Protestanten zu brechen und so den großen Schlag der Vernichtung zu vollenden. Nicht Mann noch Maus konnte aus der Festung hinaus, noch herein. Wie wir da wieder in Sorge waren um den armen verwundeten Paul, zu dem ich nicht zurückkehren konnte! Der wackere Kaufmann Renaud, der den Knaben aus den Niederlanden mitgebracht hatte, wie ich euch schon erzählt habe, hätte viel darum gegeben, wenn er ihn nur in Sicherheit gewußt hätte. Die Belagerung zu Land und zu Wasser dauerte indessen bis in den Juni des nächsten Jahres. Es war eine harte Zeit, aber neunmal schlugen wir die Stürme zu Land und See zurück, der Feind mußte abziehen mit langer Nase und sich zu einem Frieden verstehen, der den Protestanten fast mehr Rechte gab, als sie zuvor besessen hatten."

„Jetzt gab's Luft, und schleunig eilte ich aus den engen Mauern der Nähe der Hauptstadt zu, um zu sehen, was aus Paul geworden sei. In dem Dorfe bei Paris fand ich zwar die brave Bäuerin noch, aber den Jungen und seinen Begleiter nicht mehr. Paul war von seiner schweren Wunde genesen und hatte mit dankbarem Herzen seine Wohlthäterin verlassen, um sich nach Sevre oder nach la Rochelle zu begeben. Er hatte nicht gewußt, wie es an diesen beiden Orten aussah. Neuer Kummer für mich. Was konnte aus den beiden geworden sein? Ich fürchtete sehr, sie möchten den Feinden in die Hände gefallen sein. Mit dieser Sorge im Herzen kehrte ich zurück. Zu meiner großen Freude fand ich Paul und den Diener schon in la Rochelle. Sie hatten sich unterdessen viele Wochen lang in den Trümmern des Schlosses Sevre aufgehalten, und Paul, der damals ein gewandter Fischer war, hatte die schönen Teiche benützt und mit seinem Gefährten in den Forsten Wild gefangen, so gut es ohne Waffen gehen konnte. So hatten sie sich genährt, bis die Belagerung von la Rochelle aufgehoben war.

„So waren denn die Glieder der Familie wieder beisammen, außer meinem guten Herrn. Frau v. Sevre aber kränkelte von der Zeit an fort, während ihr Sohn sich wieder kräftig erholte. Schon dachte man daran, das Schloß Sevre wieder aufzubauen, aber mit dem Anfange des Jahres 1574 brach der Religionskrieg wieder los. Er dauerte über zwei Jahre. Im Mai 1576 wurde wieder Friede geschlossen. Paul, der jetzt zum achtzehnjährigen Jüngling herangewachsen war, ging nun unabläßig mit dem Gedanken um, nach Deutschland zu gehen, um seine Aeltern aufzusuchen, wenn sie noch am

Leben wären. Denn obgleich er von der Familie Renaud und Frau v. Sevre wie ein Kind des Hauses behandelt und geliebt wurde, so hatte er eine unbegrenzte Sehnsucht nach seinen Aeltern. Der junge Herr v. Sevre wollte die Reise mit ihm machen, aber die kränkliche Mutter kam in Verzweiflung, wenn sie nur ein Wort davon hörte. So verging ein Tag, ein Monat nach dem andern und Paul konnte sein Vorhaben immer noch nicht ins Werk setzen. Zum Ueberflusse brach auch der unglückselige Krieg von neuem aus. Es war schon der sechste, den ich in fünf Jahren erlebte. — Gelt, das will etwas heißen? Davon habt ihr in euerm Deutschland keinen Begriff. — Im September 1577 war aber schon wieder Friede, und der scheint ein wenig anhalten zu wollen, wie lang, das weiß der liebe Himmel. Ich wenigstens traue dem Landfrieden nicht. Meine Herrin hat noch ein Stück des gegenwärtigen Friedens erlebt und wollte nun wirklich das Schloß Sevre wieder bauen, sie ist aber leider nicht mehr dazu gekommen. Sie haben ihr bald das letzte kleine Haus gebaut, das Schloß, das wir alle beziehen müssen. Nach ihrem Tode hatte Paul durchaus keine Ruhe mehr, und die beiden jungen Herren rüsteten sich nun zu einem Zuge nach Deutschland. Ich habe mir's ausgebeten, sie begleiten zu dürfen. Ich wollte gern mein Vaterland vor meinem Ende noch sehen, und, will's Gott, so begraben sie mich in deutscher Erde im Frieden. — Kurzum, wir zogen aus, und die Bäuerin bei Paris wurde nicht vergessen. Wie unter ihrem Dache Protestanten und Katholiken so einig und friedlich und liebreich waren! Mein junger Herr besuchte die Eiche, unter der ich seinen Vater begraben hatte, dann ging's fort dem Lothringen und der deutschen Grenze zu."

„Simon!" rief in diesem Augenblicke eine Stimme, und der alte Diener stand rasch auf, um zu dem jungen Manne zu treten, der unter dem Eingange der Halle erschien.

„Es ist ein stattlicher junger Mann, der Paul," flüsterten die Diener unter einander: „aber seinem ernsten Gesichte sieht man es an, daß er etwas erlebt hat, so jung er ist."

„Und die Schramme über der Stirn steht dem schwarzen Krauskopfe nicht übel," sagte einer der Jäger. „Ich wollte wir blieben noch eine Zeit lang hier beisammen, aber ich habe schon gehört, der läßt sich nicht halten, er will zum Casimir!"

Neuntes Kapitel.

Das Wiederfinden.

> Die Erlöseten des Herrn werden wieder kommen und gen Zion kommen mit Jauchzen, ewige Freude wird über ihrem Haupte sein, Freude und Wonne werden sie ergreifen und Schmerz und Seufzen wird weg müssen. Jes. 35, 10.

„Sehet, ihr Herren, das ist die Art von Angeln, die ich vorhin beschreiben wollte," sprach Paul Clignet, als er wieder in den Saal zu der kleinen Tischgenossenschaft trat. Damit hielt er ihnen einen ziemlich starken Angelhaken hin, den ihm der alte Simon so eben hervorgesucht hatte.

„Pah!" rief einer aus der Gesellschaft: „Monsieur Clignet, der ist zu schwach für die Hechte, wie sie in den hundert Weihern vorkommen, die sich um das Städtlein Lautern und das Kloster Otterberg befinden. Den Haken hätte Kaiser Friedrichs Hecht zehnmal zum Frühstück verspeist ohne Bauchgrimmen zu bekommen."

„Gut jägermäßig aufgetragen!" lächelte Paul.

„Wie? Ihr zweifelt?" rief jener. „Ihr glaubt gar,

ich wolle mit dem großen Messer aufschneiden? Wenn Ihr nach Lautern kommt, laßt euch ins Schloß führen und das Bild und die Schriften zeigen, Ihr ungläubiger Thomas."

„Ihr spracht vorhin schon einmal von dem kaiserlichen Hecht," fiel der junge Herr von Severe ein: „was für eine Bewandtniß hat es damit?"

„Das sollt Ihr hören. Das Schloß Lautern war ein Lieblingsaufenthalt der beiden hohenstaufischen Kaiser, Friedrichs des Rothbarts und Friedrichs des zweiten. Da konnten sie ihre Lust an Jagd und Fischerei weidlich büßen, denn die großen Wälder, welche das Städtlein rings umgeben und die vielen Teiche bei demselben gaben Gelegenheit genug dazu. Den großen Woog hinter dem Schlosse, den man den Kaiserswoog nennt, scheint Kaiser Friedrich II. angelegt zu haben. Da hinein setzte er mit eigener Hand einen Hecht, vielleicht war's auch ein Karpfen, denn einen solchen führt die Stadt in ihrem Wappen, die Geschichte nennt ihn aber nun einmal einen Hecht. Diesem Fische ließ er einen goldenen Ring umlegen, so künstlich eingerichtet, daß er sich gehörig ausdehnen konnte, wenn der Fisch größer wurde. Auf dem Ringe standen in griechischer Sprache die Worte: Ich bin jener Fisch, welcher von allen zuerst durch die Hände des Kaisers Friedrich II. in diesen Woog gesetzt worden ist am fünften October 1230. — Und wißt ihr, wie lange der Fisch in dem Woog saß? nicht weniger als

267 Jahre. Anno 1497 wurde er erst gefangen und nach Heidelberg auf Kurfürst Philipps Tafel gebracht. Rathet einmal, wie groß er war und was er wog. — Neunzehn Werkschuhe war er lang und 350 Pfund hat er gewogen. So stehts im Lauterer Schloß gemalt und in den Büchern schwarz auf weiß. Seht Ihr, Monsieur Clignet, daß es kein erlogenes Jägerstücklein ist."

„Klingt etwas stark," sagte Paul: „wenn's aber wahr ist, muß ich's eben glauben. Uebrigens bin ich begierig die Teiche zu sehen."

„Das könnt Ihr, eh' eine Stunde vergeht," sagte der junge Sickingen. „Da ihr Herren euch doch nicht länger wollt halten lassen, so wollen wir euch eine Strecke begleiten. Wir reiten dann nicht über Mehlbach nach der Lauter, sondern nach der Abtei Otterberg. Dort und auf dem ganzen Wege bis Lautern habt Ihr die Fischwooge nach einander, wie Ihr sie sehen wollet."

Paul sprang sogleich vom Tische auf. Es war ihm erwünscht, bald fort zu kommen, es drängte ihn weiter in die Pfalz hinaus, wo er etwas von seinen niederländischen Landsleuten, wohl gar von seinen Aeltern, zu erfahren hoffte. Das Zeichen zum allgemeinen Aufbruche war gegeben, und bald standen die Rosse gesattelt im Hofe des alten Schlosses.

Eine Zeitlang ritt hierauf die kleine Gesellschaft am Saume eines kräftigen Buchenwaldes hin. Schalodenbach war hinter ihnen in der Tiefe verschwunden, vor ihnen erhob in der Ferne der Donnersberg seinen breiten Rücken, und rechts hinüber sahen sie einigemal durch offene Lichtungen des Waldes die Thürme der fernen Burg Hoheneken herüberragen. Dann ging es in ein enges, waldiges Thal hinab, durch dessen schmale Wiesensohle ein klares Bächlein murmelnd eilte. Noch eine kurze Strecke und das Thal erweiterte sich ein wenig, und die beiden Fremdlinge hielten überrascht ihre Pferde an. In mäßiger Entfernung vor ihnen schaute die Ruine einer alten Burg von einem frei hervorspringenden, abgerundeten Hügel herab, eine hübsche Zierde für die einsame, waldumschlossene Gegend.

„Das ist die Otterburg," sagte Sickingen: „und am Fuße jenes Hügels liegt die alte prächtige Abtei. Wir werden sie in wenigen Minuten erreicht haben. Jetzt verbirgt sie uns noch die niedrige Anhöhe."

In diesem Augenblicke ertönte der gedämpfte, aber doch volle, tiefe Ton einer großen Glocke, und gleich darauf fielen noch zwei andere ein. Paul lauschte den fernen Klängen mit Vergnügen, sie klangen ihm wie liebliche Musik.

Die Reiter setzten ihren Rossen leicht die Sporen ein und trabten den wenig ansteigenden Sandweg hinan. Bald waren sie auf der niederen Anhöhe, welche sie heute den Wasen nennen, und wieder hielten die beiden Hugenotten ihre Rosse an. Die Aussicht, die sich ihnen hier bot, war in der That schön. Hier die alte Burgruine auf freier Höhe, zu ihren Füßen ein schmales grünes Thal, aus dem nah und fern die glänzenden Spiegel der Fischteiche blitzten, welche heutzutage in grüne Wiesen umgewandelt sind. Nahe bei ihnen lagen die Gebäude eines Bauernhofes, drunten im Thale aber stieg ein kolossales prachtvolles Bauwerk empor, eine domartige Kirche in Kreuzesform, deren grauen Quadern man ansah, daß die Stürme von Jahrhunderten schon über sie hingegangen. Und an diese Kirche schlossen sich die weitläufigen Gebäude einer großen Abtei. Was aber Paul's Aufmerksamkeit am meisten in Anspruch nahm, war ein Zug, der sich unter dem Geläute der Glocken langsam durch das Portal der Kirche bewegte. Er schien bereits zum größten Theile in derselben verschwunden zu sein. Die Reiter sahen nur noch die letzten Personen desselben, aber doch rief Paul plötzlich in lebhafter Erregung:

„Das müssen Niederländer sein! Ja, ja, so war ihre Tracht!"

Ohne ein Wort weiter zu reden, gab er seinem Pferde die Sporen und sprengte die kleine Anhöhe hinab der Kirche zu. Die andern folgten und holten ihn ein, als er eben aus dem Sattel sprang. Er warf dem alten Simon den Zügel zu und trat mit hochklopfendem Herzen durch die schöne Hauptpforte in die hohe weite Kirche, deren dreifache Hallen von zwanzig mächtigen viereckigen Pfeilern getragen werden.

Wunderbar ergriffen ward Paul beim Eintritte in diesen hohen, weiten Dom, durch dessen Hallen der feierliche Gesang eines Psalms zog. Wie von unsichtbaren Chören wiederholt, klangen die Töne von den Kreuzgewölben und aus den Seitenhallen wieder. Vorn gegen die Hauptpforte war die Kirche leer, die Versammlung hatte sich mehr in die Tiefe derselben zurückgezogen. Paul, der eine Störung zu verursachen fürchtete, wagte nicht, mitten durch die Kirche zu schreiten. Er trat rechts in das leere Seitenschiff und ging behutsamen Schrittes hinauf. Hinter einem Pfeiler blieb er stehen, und dahin folgten ihm auch die Begleiter, die dem alten Simon ebenfalls die Sorge für die Pferde überlassen hatten.

Jetzt schwieg der Gesang. Als die letzten Töne verhallt waren, begann eine bewegte aber doch kräftige Stimme das Gebet mit den Worten des 84. Psalms: „Wie lieblich sind deine Wohnungen, Herr Zebaoth, mein König und mein Gott. Wohl denen, die in deinem Hause wohnen, die loben dich immerdar.“ Und nun strömte es von den Lippen des Betenden wie ein Strom heiliger Begeisterung. Seine ganze Seele schien ein Dank und Preis dem Herrn.

Paul war bleich und zitterte. Ueber seine Wangen rollten große Thränen. Er konnte von seinem Standpunkte aus den Betenden nicht sehen, aber die Simme ging ihm durchs Herz. Als das Gebet zu Ende war und wieder ein Gesang begann, trat er einige Schritte weiter vor. Starr heftete sich sein Auge auf eine greise Gestalt, die mitten in dem Hauptgange der Kirche in einem Lehnstuhle saß. Alle Erinnerungen seiner Kindheit wachten mit doppelter Stärke in ihm auf, alle seine Gefühle waren in der höchsten Erregung, denn die greise Gestalt konnte niemand anders sein, als seine Großmutter Cornelia. Schweigend griff er hinter sich, faßte die Hand seines jungen Freundes und drückte sie kramfhaft. Sevre fühlte, wie er zitterte, und sein Auge richtete sich ebenfalls dahin, wohin Paul das seine geheftet hatte. Er begriff jetzt, was in seinem Freunde vorging, denn er sah Cornelien, von der Paul so oft erzählt, von der er immer mit der tiefsten Ehrfurcht gesprochen hatte.

Jetzt stieg der Geistliche auf die Kanzel. Paul hätte laut hinausschreien mögen: „Mein Vater!" Er mußte sich an die Säule lehnen, um nicht umzusinken. Noch suchte sein Auge die treue Mutter und Marien, die Gespielin seiner Kindheit. Er sah sie beide, aber er kannte sie nicht. Die Mutter hatte der Gram alt gemacht, und Marien hatte die Jugend wesentlich verändert. Durch die Seele des Jünglings ging mitten in der unaussprechlichen Freude ein tiefer Schmerz. Er glaubte, seine Mutter habe der Kummer getödtet.

Wieder schwieg der Gesang, und Clignet, an dem Paul wenig mehr als das Haar verändert fand, begann die Predigt. Er redete über die Schriftworte: Es ist noch eine Ruhe vorhanden dem Volke Gottes.

Seine Rede war lieblich und gewaltig. Sie zog aus dem einfachen verheißenden Gottesworte eine Fülle des Trostes, des Friedens und der erhebenden Hoffnung für die vielgeprüfte Gemeinde, die sich hier wieder zusammengefunden hatte. Er erinnerte an alle überstandenen Trübsale und pries die gnädige Durchhülfe Gottes, der sie hier hoffentlich zur dauernden zeitlichen Ruhe gebracht. Er ging über von der irdischen Ruhe zu der ewigen, und mahnte die Gemeinde, zu beharren und treu zu sein bis an den Tod, um wenigstens der ewigen Ruhe theilhaftig zu werden.

Es war eine tief ergreifende Predigt. Die ganze Gemeinde weinte und schluchzte laut. Paul war so überwältigt von allen den Gefühlen, die auf ihn einstürmten, daß er rasch die Kirche verließ, sobald sein Vater das Amen ausgesprochen. Draußen stürzte er an die Brust seines jungen Freundes und rief vor Freude weinend: „Es ist mein Vater, es ist meine Großmutter! Allmächtiger Gott, wie wunderbar sind deine Wege!"

Jetzt begriffen die beiden andern Begleiter erst ganz, warum Paul in der Kirche so außerordentlich bewegt war. Während sie selbst staunend und ergriffen von der wundersamen Fügung reden wollten, hatte Paul unverwandt sein Auge auf die Kirchenpforte geheftet. Jetzt war der Schlußgesang zu Ende — jetzt hatte der Geistliche den Segen über die Gemeinde gesprochen — jetzt bewegte sich der Zug aus der Kirche. Verwundert sahen die Leute mit ihren noch thränenfeuchten Augen auf die

Gruppe der fremden Reiter, deren einer unaufhaltsam weinte. Da kam die Großmutter Cornelia auf ihrem Rollstuhle, wie gewöhnlich von vier Männern getragen. Paul konnte sich nicht mehr halten, er stürzte ihr entgegen, er umfaßte die Kniee der uralten Matrone, drückte sein Gesicht auf ihre Kniee, und rief mit erstickter Stimme: „Großmutter Cornelia!“ Die alte blinde Frau zuckte jählings zusammen, ihr glanzloses Auge öffnete sich groß. Hastig griff sie mit beiden Händen nach dem Haupte des Jünglings und strich damit von dem krausen Haare herab um Wangen und Kinn desselben. „Paul, bist du's? hat der Herr die Todten auferweckt?“ So rief sie, wohl etwas erregter, aber doch in ihrer gewohnten großartig ruhigen Weise.

„Ich bin's, Großmutter!“ schluchzte der Jüngling. Indem er dabei den Kopf erhob, um in das alte, geliebte Angesicht zu schauen, sah er hinter dem Lehnsessel Cornelias eine blasse Frau ohnmächtig in die Arme einer schönen, blühenden Jungfrau sinken.

„Mutter! Mutter!“ rief er voll seliger Freude, sprang auf, umfaßte die Ohnmächtige und bedeckte das bleiche Gesicht mit Küssen. „Marie! Marie!“ rief er dazwischen, streckte der Jungfrau die Hand hin und zog die Weinende mit in die Umarmung.

In diesem Augenblicke trat Clignet, als der letzte, aus der Kirche. Er sah die ganze Gemeinde in großer

Bewegung, sah, wie sich alle vor der Kirchenpforte zusammendrängten.

„Ehrwürdiger Herr, da ist Euer todt geglaubter Sohn!“ rief ihm einer der Aeltesten aus der Gemeinde entgegen.

Rasch öffnete sich in der Menge ein Durchgang für den Geistlichen. Er sah, wie seine Gattin eben die Augen aufschlug und ihre Arme fest um den Sohn schlang, als fürchte sie, er werde ihr wieder entrissen. Sie konnte kein Wort sprechen. Er selbst aber stand einen Augenblick zitternd daneben, dann sprach er halb laut: „Herr, ich bin zu geringe aller Barmherzigkeit und Treue, die du an deinem Knechte thust. Wer bin ich und was ist mein Haus, daß du uns bis hierher gebracht hast?“

„Vater! Vater!“ rief Paul und stürzte nun in seine Arme. Die Menge stand schweigend, erschüttert, kein Auge war trocken, keine Seele darunter, die nicht die Gnade Gottes und seine wunderbaren Wege anbetend gepriesen hätte. Cornelia hatte die Hände gefaltet, ihr glanzloses Auge war emporgerichtet und die zum Untergang sich neigende Sonne verklärte ihr Angesicht und die ganze Scene.

„Hab' ich's nicht immer gesagt?“ sprach sie leise. „Den Gerechten muß das Licht immer wieder aufgehen, und Freude den frommen Herzen. — Herr, nun laß deine Dienerin im Frieden hinfahren!“

Wer möchte hier weiter schildern? wer es messen das Uebermaaß der seligen Freude?

Zum Schlusse dieser Erzählung nur noch einige Worte! Die wallonische Gemeinde, die ohne weiteres Aufsehen nach und nach aus Schönau ausgezogen war, hatte ihren Prediger in der Hauptstadt der Wallonen, in Frankenthal, wieder gefunden. Sie lebte eine Zeitlang zerstreut im Lande, bis Herzog Casimir das große Kloster Otterberg ihr eingeräumt hatte. Hier begann eine neue, bessere Zeit für sie. Herzog Casimir erhob den neuentstehenden Ort bald zur Stadt, und friedlich trieben die Einwohner in derselben ihre Gewerbe. Clignet lebte mit seiner Familie ein neues Leben. Seine gebeugte Gattin lebte frisch wieder auf, und als Cornelia im Frieden heim ging, hatte sie noch ein Urenkelchen auf ihrem Schooße gewiegt, denn Paul und die liebliche Marie waren ein Ehepaar geworden. Paul wurde durch die Güte des Pfalzgrafen zunächst herzoglicher Jagd- und Fischmeister zu Otterberg und nach seiner Aeltern Tode ward ihm noch ein erweiterter Wirkungskreis in der Nähe Johann Casimirs, der nach Ludwigs VI. Tode als Vormund von dessen Sohne, die Regentschaft in der Pfalz führte.

Jene Religionsstreitigkeiten haben im Laufe der Zeit aufgehört und die französischen Gemeinden zu Frankenthal, St. Lambrecht und Otterberg sind deutsche Gemeinden geworden und haben sich freudig der Union angeschlossen, welche im Jahre 1818 die lutherischen und reformirten Gemeinden vereinigte.

Der Herr erhalte sie einig, vor allem aber fest und und treu bei seinem Worte, wie es ihre Väter waren! Fester Glaube sei der Sieg, der auch jetzt und künftig die Zwistigkeiten überwindet und zum Frieden führet!

Ende des zweiten Theiles.

In demselben Verlag ist erschienen:

Blaul, Friedrich, **Aza, der Peruaner-Knabe.** Erzählung für die Jugend und das Volk. brosch. 7½ ngr. = 24 kr.

— — **Robert Plank** der verlorene Sohn. Erzählung für die Jugend und das Volk. brosch. 7½ ngr. = 24 kr.

— — **Die Rache.** Erzählung für die Jugend und das Volk. brosch. 7½ ngr. = 24 kr.

— — **Der Stiefsohn.** Erzählung für die Jugend und das Volk. brosch. 7½ ngr. = 24 kr.

Druck von Daniel Kranzbühler in Speyer.

FSC
www.fsc.org
MIX
Papier aus verantwortungsvollen Quellen
Paper from responsible sources
FSC® C141904

Druck:
Customized Business Services GmbH
im Auftrag der KNV-Gruppe
Ferdinand-Jühlke-Str. 7
99095 Erfurt